REIS

REIS

Kirschner Verlag

Herausgeber: Elga Sondermann
Genehmigte Sonderausgabe für Kirschner Verlag, Butzbach

Titelbild: ORYZA, Hamburg

5 4 3 2 1   96 97 98 99 00

Inhalt

$\triangleright$

Zu unserem Buch:
Alle Rezepte sind – wenn nicht anders angegeben – für 4 Personen berechnet.

Abkürzungen:
TL = Teelöffel
EL = Eßlöffel
g = Gramm
kg = Kilogramm
l = Liter
ml = $^1/_{1000}$ l (1 g)
Msp. = Messerspitze
1 Tasse = ⅛ l, (etwa 1 normale Teetasse)

Einleitung

REIS – EIN BISSCHEN GESCHICHTE

5000 Jahre ist sie alt – die Kulturpflanze Reis. Kein anderes Nahrungsmittel hat eine vergleichbare Tradition und Bedeutung. Für zwei Drittel aller Erdbewohner ist Reis unverzichtbarer Bestandteil der Ernährung. 500 Millionen Tonnen werden jährlich weltweit produziert.

Oryza sativa lautet der botanische Name für das Gras, an dem der Reis wächst. Es gedeiht auf allen Kontinenten, in über 100 Ländern und bis zu einer Höhe von 3.000 m über dem Meeresspiegel. Je nach Sorte wird die Pflanze 80 bis 150 cm hoch und trägt an schlanken Halmen 10 bis 20 Rispen mit jeweils bis zu 200 Reiskörnern.

Zum Wachstum braucht die Reispflanze ein heißes und feuchtes Klima, d.h. sehr viel Sonne, fruchtbares Schwemmland oder terrassenförmig angelegte Felder mit künstlichem Bewässerungssystem. Die größten Anbaugebiete liegen in Asien, danach folgen USA und Afrika. Aber auch hier in Europa, in Italien, Spanien, Portugal, Frankreich und Griechenland wird Reis angebaut und geerntet.

DER REISANBAU

Je nach Art der Anbaufläche unterscheidet man zwischen *Wasserreis* und *Bergreis*. Bergreis, der wie jedes andere Getreide angebaut wird, spielt weltweit mengenmäßig eine untergeordnete Rolle. Zum Anbau von Wasserreis benötigt man das oben erwähnte feucht-warme Klima.

Überschwemmte Reisfelder

Traditionell werden entweder Jungpflanzen in bewässerten Saatbeeten gezogen und dann in die überschwemmten Äcker gesetzt, oder der vorgekeimte Reis wird ausgesät.

In vielen Anbaugebieten, wie z.B. in den USA und Europa, ist der Reisanbau inzwischen stark modernisiert, d.h. technisiert. Die Felder werden mit großen Pflügen bearbeitet, die vorgequollenen Reiskörner anschließend aus Spezialflugzeugen direkt in die überschwemmten Felder gesät.

Spezielle Bewässerungssysteme sorgen dafür,

Reispflanze

daß die Reispflanzen ausreichend mit Feuchtigkeit versorgt werden. Die Äcker liegen so nebeneinander, daß das Wasser dem natürlichen Gefälle folgt und dabei den Reis gleichmäßig überflutet.

DIE ERNTE

Die Reiskörner erreichen, je nach Sorte, drei bis neun Monate nach der Aussaat Erntereife. Kurz vor der Ernte werden die Dämme der Felder angestochen und das Wasser abgelassen. In den meisten Anbaugebieten wird der Reis dann mit Mähdreschern geerntet und in Großcontainern direkt in moderne Trocknungsanlagen gebracht.

DIE VERARBEITUNG

Der noch von der Spelze umhüllte Reis, der sogenannte *Paddyreis,* wird in großen rotie-

renden und durch Heißluft erhitzten Trommeln getrocknet. Dabei muß besonders schonend vorgegangen werden; denn zu schnelles Trocknen mindert die Reisqualität. Danach wird der Reis gedroschen, in speziellen Mühlen werden die Spelzen von den Körnern getrennt. Die entspelzten Körner sind noch vom Silberhäutchen umschlossen und werden als Cargoreis verschifft. In den Reismühlen der Importländer lagert er in trockenen Silos oder Räumen. Regelmäßiges Umschichten verhindert, daß der Reis Feuchtigkeit zieht und verdirbt.

DIE REISSORTEN

Für diejenigen, die nur den weißen Kochbeutelreis kennen, ist es fast unvorstellbar, daß es weltweit über 1.000 Sorten Reis gibt. Alle diese Sorten lassen sich in drei Hauptgruppen einteilen: den *Langkornreis, den Mittel- und den Rundkornreis.*
Langkornreis hat lange, schmale Körner, die beim Kochen körnig und locker bleiben. Die gängigste Langkornreis-Sorte ist der **Patna-Reis**, ursprünglich aus der indischen Stadt Patna, inzwischen aber weltweit angebaut. Das feinste Langkorn ist der indische **Basmati-Reis** mit sehr schmalen, feinen Körnern, die beim Kochen einen zarten Duft ausströmen und wunderbar locker bleiben. Der etwas kürzere, gedrungene **Mittelkornreis** sondert beim Kochen mehr Stärke ab als Langkornreis, dadurch kleben die Körner etwas aneinander. Diese Reisart wird deshalb besonders in Kulturen geschätzt, in denen man mit Stäbchen ißt. Aber auch in Italien

und Spanien ist er beliebt, wo man den Reis saftig und cremig zu **Risotto** oder **Paëlla** verarbeitet.

Zu den wichtigsten **Mittelkornreis**-Sorten gehören der **Klebreis** im asiatischen Raum und der **Arborio-Reis** aus Italien, eine besonders große, aromatische Sorte.

Der **Rundkorn- oder Milchreis**, der besonders viel Stärke beim Kochen absondert, erfreut sich weltweit großer Beliebtheit zur Zubereitung von Reis-Desserts, Reispuffern und -klößen, sowie Aufläufen.

1. *Wildreis,* 2. *Wild- und Langreis,* 3. *Natur- und Wildreis,* 4. *Basmatireis,* 5. *Risottoreis,* 6. *Jasminreis,* 7. *Idealreis,* 8. *Naturreis,* 9. *Patnareis,* 10. *Milchreis,*

Neben diesen genannten gängigen Sorten finden Sie noch *roten und schwarzen* und in letzter Zeit auch *grünen Reis.* Bei den beiden ersten handelt es sich um Spezialitäten aus der Mittelkorn-Gruppe. Beide sind im Gegensatz zu den bisher vorgestellten Körnern ungeschliffen, daher die Farbe. Roter Reis kommt aus Thailand oder aus der Camargue, schwarzer Reis aus Thailand oder Japan. Beide Sorten haben einen würzigen, nussigen Körnergeschmack und verhalten sich beim Kochen ähnlich wie der braune, ungeschliffene Naturreis.

Der grüne Reis kommt aus Vietnam, dort wird er vor der eigentlichen Reisernte gewonnen. Das unreife Korn wird per Hand aus der Rispe gedrückt und dann in der Sonne getrocknet. In diesem Reifezustand hat sich der Zucker noch nicht in Stärke umgewandelt, sodaß man den grünen Reis bestenfalls zu Brei kochen kann. Auch zum Panieren von Fisch oder Geflügel läßt er sich verwenden, dazu muß man ihn allerdings zuvor mit einem Nudelholz zerkleinern. Mit Zucker zu Krokant verarbeitet dient er außerdem zum Dekorieren von Desserts.

Last not least wäre noch der **Wildreis** zu erwähnen, der eigentlich gar kein Reis ist, sondern das Korn eines mannshohen Wassergrases, das in Nordamerika und Kanada beheimatet ist und von Indianern in mühevoller Handarbeit vom Kanu aus geerntet wird. Obwohl diese Delikatesse inzwischen kultiviert wird, ist ihr Preis realtiv hoch. Die langen schwarzbraunen Körner schmecken nussig und eignen sich besonders als Beilage zu edlem Essen.

MIT ODER OHNE SCHALE – DAS IST DIE FRAGE

Aroma und Kocheigenschaften vom Reis hängen nicht nur von der Sorte ab: Mindestens ebenso wichtig ist die Bearbeitung des Korns nach der Ernte.

Der *weiße* und meistverbreitete *Reis* ist geschält und poliert, d.h. er besteht nur noch aus dem stärkehaltigen Kern des Reiskorns. Vorteil dieser Prozedur: Der Reis schmeckt angenehm neutral – er ist dadurch fast mit allem kombinierbar – und ist unbegrenzt haltbar. Der Nachteil: Alle Vitamine, Mineralstoffe, fast alles Eiweiß und Fett, das sich in den Randschichten befindet, fehlen dem weißen Reis.

DAS PARBOILED-VERFAHREN

Das Parboiled-Verfahren – Anfang der vierziger Jahre von Uncle Ben's für die industrielle Reisproduktion entwickelt – ist ein spezieller

Reife Reiskörner vor der Ernte

Dampfversiegelungsprozeß, bei dem bis zu 80 % der Vitamine und Mineralstoffe, die in dem sogenannten Silberhäutchen enthalten sind, ins Korninnere verlagert werden. Hierdurch bleiben sie – auch nach Abschleifen der Silberhaut – erhalten. Außerdem wird das Korn bei diesem Prozeß versiegelt, so daß keine Stärke mehr austreten kann, wodurch Parboiled-Reis besonders locker und körnig ist.

Ungeschliffen erhält man ihn auch als Parboiled-Vollkornreis. Parboiled Reis zeichnet sich außerdem durch eine kürzere Kochzeit als herkömmlicher Naturreis aus.

REIS – EIN WERTVOLLES NAHRUNGSMITTEL

Reis ist leicht verdaulich, also magenfreundlich. Er entspricht als modernes Lebensmittel den Anforderungen an eine ausgewogene und gesunde Ernährung. Reis enthält hauptsächlich hochwertige Kohlehydrate, welche die Energielieferanten für alle körperlichen und geistigen Leistungen sind. Der Eiweißanteil ist gering, dafür aber hochwertig in Form von essentiellen Aminosäuren. Im Reis steckt wenig Fett und kein Cholesterin. Reis belastet den Organismus verhältnismäßig wenig – das ist wichtig in einer Zeit, da die meisten Menschen nicht mehr körperlich schwer arbeiten und deshalb auch kein schweres Essen mehr vertragen können. Besonders wertvoll ist der Reis allerdings als Lieferant von lebensnotwendigen Mineralstoffen und Vitaminen. Mineralstoffe sind im Reis – vor allem im Naturreis und im Parboiled

Reis – in einer besonders günstigen Kombination enthalten: Natrium, Kalium, Mangan,
Eisen, Kobalt, Zink und Phosphor – alle
wichtigen Bestandteile für Wachstum, Zell-
ersatz und Regulationsmechanismen im Blut
und in den Nieren.

An Vitaminen sind im Reis vor allem die ver-
schiedenen B-Vitamine enthalten, die für ein
gesundes Nervensystem und geordneten
Stoffwechsel sorgen. Außerdem enthält er
Vitamin E, das für die Elastizität des Bindege-
webes wichtig ist, die Durchblutung fördert
und zur Vorbeugung gegen Ermüdungs- und
Abnutzungserscheinungen dient. Weil Reis
ausschwemmt und entschlackt und den Organismus kaum belastet, ist er auch in der Diät,
vor allem der Abmagerungsdiät, sehr beliebt.

DIE RICHTIGE LAGERUNG

1. Reis muß immer kühl und trocken gelagert
werden, damit er keine Feuchtigkeit aufneh-
men kann.

2. Reis nimmt leicht fremde Gerüche an, deshalb sollte man ihn nicht in der Nähe von
geruchsintensiven Produkten wie z.B.
Gewürzen und Kaffee aufbewahren.

3. Reis sollte man nie ganz luftdicht verschließen, am besten beläßt man ihn in der
Originalverpackung.

Werden diese drei Regeln eingehalten, eignet
sich Reis hervorragend zur Vorratshaltung.
Die Lagerzeit beträgt bei

Weißreis (auch Parboiled)	2 - 3 Jahre
Reismischungen	1,5 - 2 Jahre
Vollkorn-Reis	1 - 2 Jahre
Wildreis	1,5 - 2 Jahre

Zu beachten ist allerdings auch immer das
Mindesthaltbarkeitsdatum auf der Packung.
Gekochten Reis kann man im Kühlschrank
problemlos bis zu vier Tagen aufbewahren.
Reisgerichte mit Fisch, Eiern oder Pilzen soll-
ten nur frisch verzehrt werden. Gekochter
Reis läßt sich außerdem gut einfrieren. In
Gefrierbeuteln oder -dosen verpackt hält er
sich ca. 6 Monate, komplette Reisgerichte
ca. 3 Monate.

Im Kühlschrank aufbewahrter Reis wird mit
wenig Wasser, in einem zugedeckten Topf,
bei niedriger Temperatur 5 Minuten erhitzt
oder in der Mikrowelle auf mittlerer Stufe
etwa 2 Minuten erwärmt. Tiefgekühlten Reis
unaufgetaut in kochendes Wasser geben,
5 Minuten erwärmen und auf einem Sieb
abtropfen lassen. Als Suppeneinlage kann der
unaufgetaute Reis direkt in die heiße Suppe
eingestreut werden. Für Salate wird der Reis
am besten bei Zimmertemperatur aufgetaut.

Ernte von Hand

DIE RICHTIGE GARZEIT

Beim Kochen von Reis sollte man immer nach der Uhr, nicht nach dem Gefühl gehen. Es ist immer besser, den Reis eine Minute zu kurz als eine Minute zu lang zu kochen, da der Reis beim Ausdampfen noch nachgart. Im allgemeinen finden Sie die richtige Garzeit auf den Packungsangaben.

Richtwerte sind für weißen Langkorn-Reis, weißen Parboiled-Reis und Parboiled-Vollkorn-Reis ca. 18 - 20 Minuten Garzeit, Natur- bzw. Vollkornreis benötigt ca. 35 - 40 Minuten und Wildreis ca. 45 Minuten Garzeit.

DIE RICHTIGE MENGE

Reis geht beim Kochen auf das Dreifache seines Volumens auf. Daher verkalkuliert man sich leicht mit der Menge im Rohzustand. Als Richtwerte gelten die folgenden Mengen pro Person (Rohgewicht):

als Einlage in der Suppe:	20 - 25 g
als Beilage/Salat	50 - 60 g
als Hauptgericht	100 - 125 g

Kochbeutelreis ist schon vorportioniert. Ein Beutel enthält meist die Beilagenmenge für zwei Personen, oder er reicht für ein sättigendes Hauptgericht.

REIS RICHTIG KOCHEN

Es gibt im wesentlichen vier Methoden, nach denen man den Reis gart:

Die Kochbeutel-Methode:
Die einfachste, und inzwischen wohl schon sehr verbreitete, Methode, ist die Zubereitung im Kochbeutel. Die perforierte Folie schützt die Körner, läßt aber die zum Quellen notwendige Flüssigkeit hindurch. Vorteil ist, daß der Reis weder ansetzen noch anbrennen kann.

1. Pro Beutel Reis 1 Liter Flüssigkeit zum Kochen bringen.
   Übrigens: Es muß nicht immer nur Wasser sein, in dem der Reis gegart wird. Man kann ihn ebenso in Fleisch-, Geflügel-, Gemüse- oder Fischbrühe, Tomaten- oder Gemüsesaft, Fruchtsäften wie Apfel-, Zitronen- oder Orangensaft, aber auch in Kokosmilch garen, um ihm eine besondere Geschmacksnote zu verleihen.
2. Kochbeutel und – je nach Geschmack – Salz hinzugeben.
3. Zugedeckt, bei kleiner Hitze nach Packungsanweisung köcheln.
4. Beutel herausnehmen, abtropfen lassen, aufschneiden und sofort servieren.

Die Wasserreis-Methode:
So kocht man losen Reis.
1. 1 ½ l Wasser oder andere Flüssigkeit zum Kochen bringen.
2. 250 g Reis und 1 Tl Salz einrühren.
3. Kurz aufkochen und zugedeckt in 20 Minuten gar köcheln.
4. Über einem Sieb abgießen, abtropfen lassen und sofort servieren.

Die Quellreis-Methode:
Diese Methode ist besonders vitamin- und

mineralstoffschonend. Es wird nur soviel Flüssigkeit zum Kochen verwendet, wie der Reis zum Quellen benötigt.

1. ¾ l Flüssigkeit in einem größeren Topf zum Kochen bringen.
2. 250 g Reis und etwa 1 Tl Salz einrühren. (Für kleinere Mengen gilt: ein Teil Reis auf zwei Teile Flüssigkeit.)
3. Topf zudecken und den Reis bei milder Hitze ausquellen lassen, bis er die Flüssigkeit völlig aufgesogen hat. Dies dauert bei oben angegebener Menge ca. 18 – 20 Minuten.

Die Pilaw- oder Risotto-Methode:
Nach dieser Methode zubereiteter Reis ist Grundlage für viele beliebte Nationalgerichte wie das arabische Pilaw, das italienische Risotto, die spanische Paëlla oder das amerikanische Jambalaya.

1. 2 El Butter (Fett oder Öl) in einem Topf erhitzen. Nach Belieben eine gewürfelte Zwiebel darin andünsten.
2. 250 g Reis hinzuschütten und unter Rühren glasig werden lassen.
3. Gut ½ l Wasser angießen, salzen und aufkochen.
4. Zugedeckt bei milder Hitze ausquellen lassen, bis der Reis die Flüssigkeit aufgesogen hat.

ZU DIESEM BUCH:

Wir haben versucht, in diesem Buch das unendliche Thema Reis von allen Seiten zu beleuchten. Sie finden in diesem neuen Band unserer Kochkunstreihe alle Aspekte der Kombination zwischen Reis und dem, was ihm Geschmack verleiht: Reis sowohl als Beilage als auch als Grundlage eines Hauptgerichtes, Reis warm und kalt, pikant und süß. Zahlreiche Rezepte aus der deutschen Küche, aber auch viele internationale Rezepte, die der eine oder andere aus dem Urlaub oder aus dem Lieblingslokal kennt, wollen zum Nachkochen anregen.

Zur Erklärung: Wir haben nicht darauf verzichtet, verschiedene neue Reisspezialitäten von Uncle Ben's zu erwähnen. Falls Sie einmal die genannten Sorten nicht zur Hand haben, können Sie sie wie folgt ersetzen: **Französische Reisspezialität** ist zusammengesetzt aus Langkornreis mit Champignons, Zwiebeln, Kräutern und Gewürzen, **Schweizer Reisspezialität** aus Langkornreis mit Brokkoli, Zwiebeln, Gewürzen und Kräutern und **Indische Reisspezialität** aus Langkornreis mit Rosinen, Paprika, Karotten, Zwiebeln und Gewürzen.

Soweit nicht anders angegeben, beziehen sich die Maßangaben jeweils auf die Durchschnittsmenge, die für 4 Personen benötigt wird.

Reis in Vorspeisen und Salaten

Spinatsuppe mit Wildreis (Abb. S. 15)

50 g Wildreis
¾ l Gemüsebrühe
1 Zwiebel, Salz
2 El Sonnenblumenöl
500 g Spinat, Pfeffer
300 g Crème fraîche
2 El Zitronensaft

Wildreis in wenig Gemüsebrühe ca. 40 Minuten kochen. Abgießen, die Gemüsebrühe zurückbehalten. Zwiebeln würfeln, in heißem Öl glasig dünsten. Spinat waschen, verlesen und blanchieren. Wasser abgießen, mit der Gemüsebrühe angießen und ca. 5 Minuten garen. Verrührte Crème fraîche langsam zugeben, mit Salz, Pfeffer und Zitronensaft abschmecken. Den Reis zugeben, servieren.

Minestrone

▷

1,5 l Gemüsebrühe
150 g Natur-Rundkornreis
1 Stange Porree
½ Staudensellerie
3 Möhren, Salz
2 kleine Zucchini
¼ junger Weißkohl
Majoran
schwarzer Pfeffer
2 zerdrückte Knoblauchzehen

100 ml Sahne
2-3 Eigelb
abgeriebene Schale einer
unbehandelten Zitrone
4 Tomaten

Gemüsebrühe erhitzen, Rundkornreis darin ca. 35 Minuten kochen. Inzwischen Gemüse vorbereiten, kleinschneiden und zur Suppe geben. Ca. 10 Minuten weiterkochen. Mit Salz, Majoran, Pfeffer und Knoblauch würzen. Sahne mit Eigelb und abgeriebener Zitronenschale verquirlen, einrühren und nicht mehr aufkochen. Tomaten überbrühen, enthäuten, entkernen, würfeln. Suppe damit garnieren.

Wildreis-Salat mit Krabben

200 g Langkorn- & Wildreismischung
2 El Butter
200 g Tiefseegarnelen
1 gehäufter Tl Currypulver
½ Becher Joghurt
4 El Mayonnaise
Saft einer Zitrone

Salz, Pfeffer
100 g ungesalzene Erdnüsse
1 kleiner Kopf Radicchio

Reis garen. Fett erhitzen, die Garnelen darin schwenken und herausnehmen. Curry darin anschwitzen, Reis zufügen, rühren, bis er gelb ist. Aus Joghurt, Mayonnaise, Zitronensaft, Salz und Pfeffer eine Soße rühren. Mit Erdnüssen unter den Reis mischen. Radicchio waschen, feinschneiden und unterheben. Krabben aufstreuen.

Gemüse-Reis-Suppe mit Pesto

▷

125 g Langkornreis
(im Kochbeutel)
2 Fleischtomaten
3 kleine Zucchini
½ Staudensellerie
3 Zwiebeln
250 g grüne Bohnen
250 g weiße Bohnen
1,5 l (Instant-)Gemüsebrühe

Pesto:
4 große Knoblauchzehen
2 Bund Basilikum (ersatz-
weise Petersilie)

Salz, Pfeffer
4 El geriebener Parmesan
⅛ l Olivenöl

Reis garen. Tomaten über-
brühen, enthäuten, grob würfeln. Zucchini und Sellerie in
Scheiben schneiden, Bohnen
zerbrechen, Zwiebeln vierteln.
Brühe zum Kochen bringen
und das Gemüse bis auf die
Tomaten hineingeben. Zugedeckt ca. 30 Minuten köcheln.
Tomaten 5 Minuten vor Ende

der Garzeit hinzufügen. Pesto
zubereiten: Knoblauch, Basilikum, Salz und Pfeffer zu einer
Paste pürieren. Parmesan
unterrühren und nach und
nach Olivenöl zufügen. Kurz
vor dem Servieren den Reis in
die Suppe geben. Zum Essen
kann sich jeder nach Belieben
1-2 Tl Pesto in die Suppe
rühren.

Spargel-Reis-Suppe

500 g weißer Spargel
Salz, schwarzer Pfeffer
1 kleines Stück Schale einer
unbehandelten Zitrone
1 Stück Würfelzucker
150 g Langkornreis
1 Bund Schnittlauch
3 Eiweiß
Muskat
je 2 El feingehackte Kresse
und Estragon
200 g gekochtes Hühner- oder
Kalbfleisch

Spargel schälen, in ca. 4 cm
kurze Stücke schneiden. Scha-

len mit Salz, Pfeffer, Zitronenschale und Zucker in einem
Topf mit 1 l Wasser auffüllen,
aufkochen und ca. 15 Minuten
köcheln lassen. Brühe abseihen, den Sud dabei auffangen.
Wieder in den Topf gießen
und zum Kochen bringen.
Reis und Spargel in die Brühe
geben, 15 Minuten zugedeckt
kochen. Schnittlauch waschen,
fein hacken. Eiweiß mit einer
Prise Salz sehr steif schlagen.
Mit Muskat würzen. Kräuter
vorsichtig unterheben. Reichlich Salzwasser in einem

großen Topf aufkochen. Mit
zwei Teelöffeln Klößchen aus
der Eiweißmasse abstechen,
portionsweise ins kochende
Wasser geben. Bei schwacher
Hitze 5 Minuten ziehen lassen.
Hühner- oder Kalbfleisch
kleinschneiden. Von der fertigen Suppe zwei Schöpfkellen
abnehmen, pürieren und die
Suppe damit binden. Das
Fleisch in der Suppe heiß werden lassen. Nochmals ab-
schmecken. Klößchen auf der
Suppe anrichten, sofort servieren.

Italienische grüne Suppe

50 g Reis (im Kochbeutel)
1 Zwiebel
1 Knoblauchzehe
1 Möhre
1 El gehackte Petersilie
50 g Butter
½ l (Instant-)Fleischbrühe
1 Pck. TK-Spinat (300 g)
Salz, Pfeffer
1 Prise Zucker
2 hartgekochte Eier
50-75 g geriebener Parmesan

Reis garen. Gemüse putzen. Zwiebel und Knoblauchzehe fein hacken, Möhre fein reiben und alles zusammen mit der Petersilie in heißem Fett andünsten. Fleischbrühe darauf gießen, zum Kochen bringen, den Spinatblock hinzufügen und auftauen lassen. Gegarten Reis zufügen, die Suppe nochmals heiß werden lassen und mit den Gewürzen pikant abschmecken. Eier schälen, in Scheiben schneiden. Suppe in eine Suppenschüssel füllen, die Eierscheiben darauflegen, dazu Parmesankäse servieren.

Türkischer Reissalat mit Lamm

2 kleine rote Chilischoten
1 Zwiebel, Salz
1 Knoblauchzehe
1 grüne Paprikaschote
8-9 El Olivenöl
300 g Reis (Rund- oder Mittelkorn)
¾ l Hühnerbrühe
1 Tl gemahlener Kreuzkümmel
Piment
6 El Obstessig
150 g rote Linsen
300 g mageres Lammhackfleisch
schwarzer Pfeffer
2 Tl Rosenpaprika
Zitronensaft

2 El grob gehackte Petersilie
2 Becher Joghurt

Chilischoten waschen, in feine Ringe schneiden. Zwiebel und Knoblauch fein hacken. Paprika putzen und waschen, in Streifen teilen. 2 El Öl erhitzen, Reis darin unter Rühren rösten, bis die Körner glänzen. Heiße Brühe angießen. Mit den Chilis, Salz, Kreuzkümmel, Piment und 2 El Essig würzen. Zugedeckt bei milder Hitze 20-25 Minuten ausquellen lasse. Inzwischen die Linsen in ¼ l sprudelndem Salzwasser 4-5 Minuten garen, abschrecken und abtropfen lassen. Hackfleisch im restlichen heißen Öl braun und bröselig braten. Mit Salz, Pfeffer und Paprika kräftig abschmecken. Zwiebel und Knoblauch hinzufügen, glasig dünsten. Paprikaschote kurz mitdünsten. Die Hack-Mischung und Linsen unter den Reis mischen. Mit Essig, Zitronensaft und Gewürzen kräftig abschmecken. Zugedeckt einige Stunden ziehen lassen. Vor dem Servieren Petersilie untermischen. Joghurt verrühren, salzen und pfeffern, auf dem Salat verteilen.

Reissalat „Cantaloupe"

200 g Natur- & Wildreis-
mischung
1 Cantaloupe-Melone
100 g (TK-)Erbsen
2 Stangen Staudensellerie
1 kleine Orange
6 Erdbeeren
6 El Öl
2 El (Balsamico-)Essig
2 Tl Sojasoße
2 El Orangensaft
Pfeffer
1 El Honig
½ Tl Senf
100 g Krabben
60 g Mandelblättchen

Zum Servieren:
1 große Cantaloupe-Melone
Petersilie

Reis garen. Melone halbieren, Kerne entfernen und das Fruchtfleisch mit einem Kugelausstecher herauslösen. Erbsen in kochendem Salzwasser 5 Minuten garen. Staudensellerie putzen, waschen , in feine Streifen schneiden. Orange schälen, Filets heraustrennen. Erdbeeren achteln. Für das Dressing Öl, Essig, Sojasoße und Orangensaft verrühren.

Mit Pfeffer, Honig und Senf pikant abschmecken. Die vorbereiteten Salatzutaten mit Krabben und Mandelblättchen in eine Schüssel geben, das Dressing darübergießen. Alles vorsichtig vermengen. Den Salat ½ Stunde ziehen lassen. Die Melone so achteln, daß die Stücke am Boden zusammenbleiben, vorsichtig auseinanderdrücken, Kerne mit einem Löffel herausnehmen, auf eine Platte setzen und den Salat, mit frischer Petersilie bestreut, darin arrangieren.

Reissalat mit Räucherlachs

250 g Natur- & Wildreis-
mischung
150 g Sauerampfer (oder
zarter Spinat)
100 g Räucherlachs in
dünnen Scheiben
3 unbehandelte Limetten
(oder 1 ½ unbehandelte
Zitronen)
2 Tl (Dijon-)Senf
Salz, Pfeffer

Zucker
6 El Öl
½ Bund Dill

Reis kochen, abkühlen lassen. Sauerampfer waschen und verlesen. Lachs grob zerteilen. Von der Limette einige Scheiben schneiden, beiseitelegen. Schale der übrigen Limetten fein abreiben, Saft auspressen.

Beides mit dem Senf, Salz, Pfeffer, Zucker und Öl gut verquirlen. Unter den Reis mischen. Ziehen lassen. Dill waschen und hacken, etwas zum Garnieren beiseitenehmen, mit dem Sauerampfer und Lachs vorsichtig unter den Reis heben. Mit Limettenscheiben und Dill nach Belieben garnieren.

Sweetcorn-Reissalat

▷

50 g Langkornreis
(im Kochbeutel)
1 Dose Mais
250 g Fleischwurst oder
Corned Beef
1 Bund Frühlingszwiebeln
2 Knoblauchzehen
8 El Öl, 6 El Essig
Salz, Pfeffer
1 Tl Zucker
3 Tomaten
½ Salatgurke

2 Zwiebeln
1 Kressebeet

Reis garen, in eine Schüssel geben. Mais abtropfen lassen. Fleischwurst in kleine Würfel, Frühlingszwiebeln in kleine Ringe schneiden. Fleischwurstwürfel, Mais und Zwiebelringe unter den Reis mischen. Knoblauch zerdrücken. Aus Öl, Essig, Salz, Pfeffer, Zucker und Knoblauch eine Marinade rühren. Zwei Drittel der Marinade unter den Salat mischen, ca. 2 Stunden ziehen lassen und in die Mitte einer Platte geben. Tomaten und Salatgurke waschen und in Scheiben, Zwiebeln in Ringe schneiden, um den Reissalat bunt arrangieren, mit restlicher Salatsoße beträufeln und mit Kresse verzieren.

Asiatischer Reissalat mit Rinderlende

300 g Rinderlende
4 El Sojasoße
3 El trockener Sherry
1 Tl Speisestärke
20 g Mu-Err-Pilze
½ l Hühnerbrühe
250 g Basmati-Reis
3 Frühlingszwiebeln
150 g Bohnenkeime
1 Knoblauchzehe
1 haselnußgroßes Stück
frischer Ingwer (oder
1 Tl Ingwerpulver)
6 El Öl
1 El Zucker
3 El Essig
Salz, Pfeffer
150 g rote Johannisbeeren

Rinderlende in dünne Scheibchen schneiden. In einer Marinade aus je 1 El Sojasoße und Sherry sowie der Stärke 1 Stunde ziehen lassen. Pilze abbrausen, überbrühen, ½ Stunde einweichen. Brühe aufkochen, 2 El Sojasoße und 2 El Sherry einrühren. Reis zufügen, auf kleiner Stufe zugedeckt 15-20 Minuten köcheln. Abkühlen lassen. Frühlingszwiebeln in feine Ringe schneiden. Bohnenkeime waschen. Knoblauch und Ingwer schälen, fein hacken. Das Fleisch portionsweise in 2 El Öl 1 Minute anbraten, herausnehmen. Anschließend den Knoblauch und Ingwer im übrigen Öl kurz dünsten, Zucker, Essig und die Marinade vom Fleisch einrühren. Einmal aufkochen lassen. Mit Sojasoße, Salz und Pfeffer abschmecken. Vom Herd nehmen. Pilze abtropfen lassen, grob zerteilen. Mit den Frühlingszwiebeln, Bohnenkeimen und der Soße unter den Reis mengen. Einige Stunden ziehen lassen. Vor dem Servieren Johannisbeeren abspülen, von den Rispen streifen und unter den Salat mischen, abschmecken. Fleisch darauf anrichten.

Paëlla-Salat

400 g Hähnchenbrustfilet
1 Zwiebel
2 Knoblauchzehen
75 g geräucherter Bauchspeck
6 El Olivenöl
Salz, schwarzer Pfeffer
300 g Langkornreis
Edelsüßpaprikapulver
1 Döschen Safranpulver
(1,25 g)
1 Glas Hühnerfond (400 ml)
300 ml (Instant-)Gemüse-
brühe
1 rote Paprikaschote
400 g frische Erbsen in der
Schote (oder 200 g TK-Erbsen)
500 g Tomaten
Saft und Schale einer unbehandelten Zitrone

Filet in Scheibchen schneiden. Zwiebel, Knoblauch und Speck klein hacken. 2 El Öl erhitzen, das Fleisch kroß anbraten, herausnehmen, salzen und pfeffern, zugedeckt beiseite stellen. Speck im Bratfett auslassen, Zwiebel und zerdrückten Knoblauch hinzufügen, kurz dünsten. Reis einrühren, 5 Minuten rösten und rühren. Mit Salz, Pfeffer und Paprika würzen. Safran kurz mitdünsten. Mit Fond und heißer Brühe auffüllen. 20 Minuten offen köcheln. Paprikaschote putzen und waschen, halbieren. Die Hälfte in kleine Rauten (1,5 cm) schneiden. Frische Erbsen auspalen. Tomaten überbrühen, enthäuten, achteln und entkernen. Paprika, Erbsen und Fleisch zum Reis geben. Bei milder Hitze 10 Minuten ziehen lassen. Schale der Zitrone fein abreiben, Saft auspressen. Beides untermischen. Reis mit den Gewürzen und restlichem Olivenöl abschmecken. Abkühlen und zugedeckt einige Stunden ziehen lassen. Vor dem Servieren die Tomaten zufügen, evtl. nachwürzen.

Gefüllte Sesam-Reiswaffeln ▷

300 g Vollkorn-Rundkornreis
½ l (Instant-)Gemüsebrühe
4 Eier
50 g Sesamsamen
2 El Hefepaste
4 El Sauerrahm
4 Salatblätter
2 Tassen Alfalfa (ersatzweise
Kresse)
2 Tomaten
Sojaöl zum Backen

Reis mit der Brühe aufkochen, bei kleiner Hitze 50 Minuten dünsten, dann vom Herd ziehen. Eier und Sesam unter den Reis ziehen und 30 Minuten abkühlen lassen. Salatblätter waschen, trockentupfen. Alfalfa abbrausen, gut abtropfen lassen. Tomaten waschen, in Scheiben schneiden. Im gut geölten Waffeleisen nacheinander 8 Waffeln backen. 4 Waffeln einseitig dünn mit Hefepaste bestreichen, restliche Waffeln mit Sauerrahm. Die Sauerrahm-Waffeln mit Salatblättern belegen, Tomatenscheiben zu gleichen Teilen darauflegen, Alfalfa darauf verteilen. Mit den übrigen Waffeln belegen und servieren.

Wildreis-Salat mit Lauch und Möhren ▷

200 g Wildreis oder Natur- &
Wildreismischung
Salz
1 Stange Porree
2 Möhren

Für die Soße:
3 El Rotweinessig
1 Tl Senf, Salz
1 El Sojasoße
3 El Sonnenblumenöl

½ Tl Honig
weißer Pfeffer
50 g Cashewkerne

Reis abspülen, in die doppelte
Menge kochendes Wasser
geben und mit wenig Salz ca.
35-40 Minuten kochen. Auskühlen lassen. In der Zwischenzeit Porree in Ringe
schneiden, geputzte Möhren

der Länge nach halbieren, in
dünne Scheiben schneiden.
Gemüse in kochendem Was-
ser kurz blanchieren. Aus
Essig, Senf, Sojasoße, Pflan-
zenöl, Salz, Honig und Pfeffer
eine Soße rühren, mit dem
Reis und dem Gemüse vermischen. Cashewkerne halbieren, ohne Fett leicht anrösten
und über den Salat streuen.

Reisküchlein mit Dip

2 Möhren
80 g Sellerie
1 kleine Stange Porree
300 g Putenbrust
Öl zum Braten
300 g Reis, 4 Eier
2 Knoblauchzehen
8 El Weißwein
2 El Sesam
Salz, Pfeffer
½ Tl China-Gewürz
½ Tl Currypulver
1 El Sojasoße

Für den Dip:
150 g Sellerie
1 säuerlicher Apfel
1 Tl Tomatenmark
2 Tl Butter

1 Tl Zucker
100 ml Gemüsebrühe
2 El Schnittlauchröllchen

Reis garen. Möhren und Sellerie schälen und raspeln, Porree in feine Ringe schneiden.
Putenbrust fein würfeln und in
zwei Eßlöffeln Öl anbraten,
Reis und vorbereitetes Gemüse zugeben, ca. 10 Minuten
dünsten. Masse etwas
abkühlen lassen. Knoblauchzehen abziehen, zerdrücken,
mit Eiern, Weißwein und
Sesam verrühren und mit Salz,
Pfeffer, China-Gewürz,
Currypulver und Sojasoße
kräftig abschmecken. Öl in

einer Pfanne erhitzen, mit
zwei Eßlöffeln Reismasse
abstechen und nacheinander
kleine Küchlein backen. Auf
Küchenpapier abtropfen lassen, warmstellen. Für den Dip
Sellerie und Apfel schälen,
Apfel halbieren und entkernen. Beides kleinschneiden
und mit Tomatenmark, Butter,
Zucker und Gemüsebrühe
pürieren. Schnittlauchröllchen
zugeben und mit Salz und
Pfeffer würzen, Küchlein auf
Teller verteilen. Dip nach
Wunsch auf einem Salatblatt
anrichten und mit Schnittlauchröllchen bestreut servieren.

Gefüllte Speckröllchen auf Wildreis

▷

250 g Natur- & Wildreis-
mischung
6 Scheiben Ananas
(a.d. Dose)
12 Scheiben Frühstücksspeck
30 g Butter
1-2 El Currypulver
30 g Mehl
¼ l Ananassaft
¼ l (Instant-)Fleischbrühe
100 g Crème fraîche
Salz, Pfeffer
Pfefferminzblättchen zum
Garnieren

Reis in 4 Tassen kochendes, gesalzenes Wasser geben, umrühren und bei kleiner Hitze 25 Minuten zugedeckt köcheln lassen. In der Zwischenzeit abgetropfte Ananasringe in jeweils 4 Stücke schneiden. Jedes Stück mit einer halben Speckscheibe umwickeln und auf ein Backblech legen. Bei 200 Grad ca. 10-15 Minuten braten lassen. Für die Soße Butter mit Curry erhitzen, Mehl einrühren, mit

Ananassaft, Fleischbrühe und Crème fraîche auffüllen, 5 Minuten kochen lassen, mit Salz und Pfeffer abschmecken. Speck-Ananas mit Reis und Currysoße anrichten, mit Pfefferminzblättchen garnieren.

Reisküchlein mit Selleriesalat

100 g geschroteten Grünkern
5 Stangen Bleichsellerie
½ Friséesalat
300 g Mandarinenspalten
(a.d. Dose)
2 El Joghurt
Saft einer halben Zitrone
Salz, grober Pfeffer
Currypulver
1 Tl Senf
1 Tl Zucker
3 Möhren
300 g Reis
30 g gehackte Mandeln
3 Eier
1 Pck. gemischte (TK-)Kräuter
roter Pfeffer

2 El Sojasoße
Öl zum Braten
Mandelblättchen und Kresse
zum Garnieren

Grünkern in ¼ l kaltem Wasser ca. ½ Stunde quellen lassen. Reis garen. Sellerie und Friséesalat putzen, waschen, Sellerie in Scheiben schneiden, Salat in mundgerechte Stücke zupfen. Mandarinen abtropfen lassen. Joghurt mit Zitronensaft glattrühren, mit Salz, Pfeffer, Currypulver, Senf und Zucker abschmecken, mit Selleriescheiben und Mandari-

nen vermischen. Ca. ½ Stunde ziehen lassen. Grünkern abgießen und abtropfen lassen. Möhren schälen und würfeln. Beides mit dem Reis, Mandeln, Eiern und Kräutern vermischen und mit Salz, rotem Pfeffer, Sojasoße und Currypulver abschmecken. Öl erhitzen und darin kleine Küchlein ausbacken. Auf Küchenpapier gut abtropfen lassen. Sellerie- und Friséesalat auf den Reisküchlein anrichten. Mit Mandelblättchen und Kresse garniert servieren.

Gefüllte Avocados

▷

250 g Reis (im Kochbeutel)
200 g blaue Weintrauben
1 El Essig
1 Prise Zucker
Salz, Pfeffer
½ Tl Senf
2-3 Tropfen Tabasco
4 El Öl
200 g Grönlandkrabben

2 reife Avocados
Saft einer halben Zitrone

Reis garen. Weintrauben waschen, vierteln und entkernen. Aus Essig, Zucker, Salz, Pfeffer, Senf, Tabasco und Öl eine Marinade rühren. Reis, Weintrauben und Krabben-fleisch mischen und die Marinade darübergießen. Avocados waschen, halbieren. Mit etwas Zitronensaft beträufeln. Die Reisfüllung auf den Avocadohälften anrichten und sofort servieren. Mit Dill und Zitronenscheiben nach Belieben garnieren.

Sangrita-Reis-Salat

2 Zwiebeln
2 Knoblauchzehen
6 El Olivenöl
300 g Langkornreis
1 El Tomatenmark
350 ml Sangrita (pikant-scharfer Tomatensaft)
300 ml heiße Fleischbrühe
Salz, Pfeffer
1 Tl Senfpulver
Zucker
1 Zitrone
4-5 El Rotweinessig
300 g grüne Bohnen
200 g Maiskörner (a.d. Dose)
200 g Cabanossi oder andere Knoblauchwurst

10 schwarze Oliven
4 Tomaten

Zwiebeln und Knoblauch fein hacken, mit 3 El Öl glasig dünsten. Reis dazuschütten und so lange rühren, bis die Körner glänzen. Tomatenmark einrühren, anschwitzen. Mit Sangrita ablöschen, heiße Brühe angießen und aufkochen. Mit Salz, Pfeffer, Senf-pulver, Zucker, Zitronensaft und 2 El Essig würzen. Zugedeckt bei kleiner Hitze ca. 20 Minuten ausquellen lassen. Inzwischen Bohnen waschen, putzen und in mundgerechte Stücke schneiden. In kochen-dem Salzwasser 8-10 Minuten garen, abgießen, eiskalt abschrecken. Mais abtropfen lassen, Wurst schräg in dünne Scheiben teilen, in 1 El Öl kurz braten. Bohnen, Mais, Wurst und Oliven unter den Reis mischen. Das übrige Öl unterrühren, mit Essig und Gewürzen kräftig ab-schmecken. Zugedeckt einige Stunden ziehen lassen. Toma-ten überbrühen, enthäuten und achteln. Vor dem Servie-ren unterheben.

Exotischer Reissalat

▷

250 g Reis (im Kochbeutel)
1 kleine Zwiebel
250 g geräucherte Putenbrust
100 g geschälte Shrimps
4 Ananasringe
40 g geröstete Cashewkerne
1 El Salat-Mayonnaise
1 Becher Joghurt
1 El Mango Chutney
1 Tl Currypulver
1 Msp. Cayennepfeffer

Salz
2 El Zitronen- oder
Ananassaft
einige Blätter Frisée-
oder grünen Salat
1 Mango
1-2 Kiwis

Reis garen. Zwiebel würfeln,
Pustenbrust in Streifen,
Ananas in Stücke schneiden.

Mit Shrimps und Nüssen unter
den Reis mischen. Mayonnaise, Joghurt, Mango Chutney,
Gewürze und Saft verrühren
und pikant abschmecken.
Marinade unter den Salat ziehen oder extra dazu reichen.
Eine Platte mit Salatblättern
auslegen, darauf den Salat füllen, mit Mangospalten und
Kiwischeiben anrichten.

Reissalat mit Käse-Dressing

1 rote Zwiebel
2 El Öl
250 g Naturreis
⅜ l Gemüsebrühe
⅛ l Weißwein
1 Lorbeerblatt
3 Zweige Liebstöckel
8 Radieschen
150 g Rettich
250 g Kohlrabi
75 g kräftiger Edelpilzkäse
1 Zitrone
Worcestersoße
Salz, Pfeffer
Cayennepfeffer
⅛ l Sahne
2 Bund Schnittlauch

100 g Römer-Salat
2 El geröstete Pinienkerne

Zwiebel würfeln, in heißem
Öl glasig dünsten. Reis einstreuen, unter Rühren 5 Minuten braten. Heiße Brühe und
Wein angießen, aufkochen.
Lorbeer und Liebstöckel hinzufügen. Zugedeckt bei milder
Hitze bißfest ausquellen lassen, abkühlen, Kräuter herausnehmen. Radieschen, Rettich
und Kohlrabi putzen, waschen
oder schälen. Radieschen in
Scheiben, Rettich in Stifte und
Kohlrabi in kleine Rauten tei-

len. Käse mit einer Gabel zerdrücken. Zitronensaft zufügen,
mit Worcestersoße, etwas Salz,
Pfeffer und Cayennepfeffer
würzen. Mit der Sahne cremig
rühren. Schnittlauch waschen,
in Röllchen schneiden (etwas
zum Garnieren abnehmen),
unter das Dressing rühren.
Reis damit anmachen. Gemüse
unterheben und zugedeckt
einige Stunden ziehen lassen.
Vor dem Servieren die Salatblätter untermischen, nochmal
abschmecken. Pinienkerne
und Schnittlauch dekorativ
darüberstreuen.

Indischer Reissalat

▷

125 g Reis (im Kochbeutel)
150 g Sojasprossen
3 Ananasringe
2 Frühlingszwiebeln
200 g Salat-Mayonnaise
25 g gehackte Pistazien

Reis garen, gut abtropfen lassen. Sojasprossen in einem Sieb mit kaltem Wasser überbrausen und abtropfen lassen. Ananas in Würfel, Frühlingszwiebeln in dünne Ringe schneiden. Zutaten zu dem noch warmen Reis geben und mit Mayonnaise mischen. Salat ca. 1 Stunde durchziehen lassen. Evtl. etwas Joghurt zugeben. Mit Pistazien garnieren.

Reis-Muschel-Röllchen

Für 20 Stück:

2 El Reis, 2 El Essig
1 Stange Porree (ca. 200 g)
1 Knoblauchzehe
1 Glas Muscheln
(140 g Abtropfgewicht)
2 El Tomatenmark
2 El Parmesan
Salz, Pfeffer

Reis in ½ l Wasser und Essig garkochen, abgießen. Porree putzen, Blätter abtrennen, waschen und in kochendem Salzwasser ca. 3 Minuten blanchieren, trockentupfen. Knoblauchzehe abziehen und zerdrücken, Muscheln abtropfen lassen. Reis mit Tomatenmark, Knoblauch, Parmesankäse, Salz und Pfeffer abschmecken. Einen Teelöffel der Masse auf jedes Lauchblatt geben, je eine Muschel in den Reis setzen, Lauchblätter aufrollen und mit Zahnstochern fixieren.

Eier mit Reis und fruchtiger Curry-Sahne-Soße

200 g Wildreis
8 Eier, 1 El Butter
5 Frühlingszwiebeln
250 g gekochter Schinken in Scheiben
1 kleine Dose Ananas
1-2 Tl Currypulver
300 ml Sahne
Salz, Pfeffer
1 Prise Zucker

Reis garen. Eier ca. 8 Minuten wachsweich garen, abschrecken, pellen und in nicht zu dünne Scheiben schneiden. Frühlingszwiebeln putzen, waschen, schräg in ca. 2 cm breite, 4 cm lange Stücke schneiden. Schinkenscheiben in 1 cm breite Streifen teilen. Ananasstücke abtropfen lassen. Frühlingszwiebeln in Butter bißfest dünsten, Currypulver darüberstreuen, mit Sahne aufgießen. Schinken und Ananas zugeben und bei milder Hitze 3 Minuten köcheln lassen. Mit Salz, Pfeffer und Zucker abschmecken. Eierscheiben mit Reis und Curry-Sahne-Soße anrichten.

Bunter Reissalat

▷

200 g Reis (im Kochbeutel)
100 g (TK-)Erbsen
je 1 kleine rote und grüne
Paprikaschote
3 Tomaten
2 Zwiebeln
1 kleiner Apfel
1 Dose Mais
2 Knoblauchzehen
1 Becher Joghurt
2 El Mayonnaise
1 El Zitronensaft
Salz, Pfeffer
1 Bund Schnittlauch
4 hartgekochte Eier

2 Scheiben gekochter Schinken
2 Scheiben Gouda

Reis garen. Erbsen auftauen lassen. Paprikaschoten, putzen und kleinschneiden, Tomate fein würfeln. Zwiebeln in Ringe, Apfel in Stücke schneiden. Mais abtropfen lassen. Reis und vorbereitetes Gemüse in eine Schüssel geben und vorsichtig vermengen. Für das Dressing Knoblauchzehen zerdrücken, mit Joghurt, Mayonnaise und Zitronensaft verrühren, mit Salz und Pfeffer abschmecken. Schnittlauch waschen, in Röllchen schneiden. Eier pellen und mit restlichen Tomaten achteln. Schinken auf die Käsescheiben legen, einrollen und in ca. 3 cm lange Röllchen schneiden. Salat auf Tellern anrichten, Knoblauchdressing darübergießen. Eier, Tomaten und Schinken-Käse-Röllchen um den Salat arrangieren, mit Schnittlauch bestreut servieren.

Wildreis-Salat mit Rauke und Mango

150 g Wildreis
Salz
100 g rote Zwiebeln
2 reife Mangos
300 g Rauke
30 g frische Ingwerwurzel
4-5 El Zitronensaft
Pfeffer
Zucker
Sojasoße
8-10 El Öl

Wildreis in ½ l kaltem Wasser aufkochen, salzen und bei milder Hitze 40 Minuten zugedeckt ausquellen lassen. Dann abtropfen und auskühlen lassen. Zwiebeln fein würfeln. Mangos schälen und in dünnen Spalten vom Stein schneiden. Rauke putzen, harte Stiele entfernen, Blätter in mundgerechte Stücke zupfen, waschen und trockenschleudern. Ingwer schälen, fein reiben. Mit Zitronensaft, Salz, Pfeffer, einer guten Prise Zucker, einigen Tropfen Sojasoße und dem Öl zu einer Vinaigrette verrühren. Die Hälfte der Vinaigrette mit dem Reis und den Zwiebeln mischen, ca. 30 Minuten kühlgestellt durchziehen lassen, abschmecken, evtl. nachwürzen. Die andere Hälfte der Soße unmittelbar vor dem Anrichten mit den Mangospalten und Raukeblättern mischen. Die Hälfte Reis mit der Mischung aus Rauke und Mangospalten in einer flachen Schüssel anrichten. Restlichen Reis darauf verteilen. Sofort servieren.

Reispuffer mit Ratatouille

▷

200 g Naturreis
3 Eier, 50 g Mehl
150 g Frischkäse mit Kräutern
Butterschmalz zum Braten

Für das Ratatouille:
1 Zwiebel
2 Knoblauchzehen
je eine rote und grüne
Paprikaschote
1 kleine Aubergine
200 g Zucchini
300 g Fleisch- oder Eier-
tomaten
4 El Olivenöl
je ein Zweig Rosmarin oder
Oregano (oder ½ El getrocknete Kräuter)
Salz, Pfeffer

Reis garen. In ein Sieb geben und abkühlen lassen. Eier, Mehl und Frischkäse mit dem Reis vermischen. Schmalz in einer beschichteten Pfanne erhitzen, bei mittlerer Hitze Puffer von 1-2 El Masse von beiden Seiten knusprig braun braten. Für das Ratatouille Zwiebel und Knoblauch pellen. Zwiebel halbieren, in dünne Ringe schneiden, Knoblauch fein hacken. Paprikaschoten putzen, waschen und in ca. 1 cm große Würfel schneiden. Aubergine und Zucchini waschen, Stiel- und Blütenansätze entfernen, längs halbieren und in ca. 1 cm

breite Scheiben schneiden. Tomaten überbrühen, enthäuten und würfeln. Die frischen Kräuter waschen. Öl erhitzen, Zwiebeln und Knoblauch darin andünsten. Paprikawürfel zugeben und ebenfalls andünsten. Auberginenscheiben zugeben und ca. 5 Minuten bei starker Hitze garen. Mehrmals umrühren. Hitze reduzieren und die Kräuter zugeben. Zucchinischeiben und Tomatenwürfel unterziehen und 10 Minuten mitgaren. Kräuterzweige aus dem Gemüse entfernen und die Ratatouille mit Salz und Pfeffer abschmecken.

Aprikosen-Reis-Salat

300 g Langkornreis
¾ l kräftige Brühe
2 El geriebener Meerrettich
(a.d. Glas)
500 g Aprikosen
4 Frühlingszwiebeln
250 g Kasseler-Aufschnitt
200 ml Sahne
2 El Obstessig
2 Tl Honig
Salz, weißer Pfeffer
Cayennepfeffer

Reis in die kochende Brühe einstreuen, 1 El Meerrettich unterrühren und bei milder Hitze ca. 20 Minuten ausquellen lassen, dann abkühlen. Inzwischen Aprikosen überbrühen, abschrecken, enthäuten, achteln. Frühlingszwiebeln in feine Ringe schneiden. Kasseler in Streifen teilen. Für das Dressing die Sahne schaumig schlagen, mit Essig, Honig

und den Gewürzen abschmecken. Vier Aprikosenachtel fein pürieren, mit 1 El Meerrettich unter die Soße mischen. Reis bis auf die Aprikosen mit den Salatzutaten und dem Dressing vermengen, einige Stunden ziehen lassen. Vor dem Servieren nochmal abschmecken, Aprikosen unterheben. Nach Belieben garnieren.

Reissalat mit Nuß-Vinaigrette

2 Schalotten
4 El Öl
300 g Langkornreis
⅜ l (Instant-)Gemüsebrühe
Salz, schwarzer Pfeffer
3 Stangen Staudensellerie
(ca. 200 g)
250 g zarte Spinatblätter
2 El gehackte Kräuter (Schnittlauch, Petersilie, Dill)
6 El (Zitronen-)Essig
Zucker
3 El Walnußöl
2 El gehackte Sonnenblumenkerne
Dillspitzen zum Garnieren

Schalotten abziehen und fein hacken, in 2 El heißem Öl glasig dünsten. Reis einstreuen, unter Rühren rösten, bis die Körner glänzen. Heiße Brühe angießen, aufkochen, salzen und pfeffern, in 20-25 Minuten garen. Sellerie putzen und waschen, in Scheibchen schneiden. Spinat waschen, verlesen. Zwei Drittel davon in kochendem Salzwasser blanchieren, eiskalt abschrecken, abtropfen lassen. Reis mit dem Sellerie, blanchiertem Spinat und Kräutern mischen. Essig, Salz, Pfeffer und 1 Tl Zucker verquirlen. Walnußöl und 2 El Öl unterschlagen. Sonnenblumenkerne unterrühren. Den Salat anmachen, einige Stunden ziehen lassen. Vor dem Servieren die übrigen Spinatblätter unterheben, nochmal abschmecken, mit Dillspitzen garnieren.

Reis mit allerlei Gemüse

Ratatouille mit Kräuter-Reis (Abb. S. 43)

250 g Reis
1 kleine Aubergine
(ca. 250 g)
2 Zucchini (ca. 250 g)
je 1 rote und gelbe
Paprikaschote
6-8 El Olivenöl
2 große Zwiebeln
1-2 Knoblauchzehen
½ Dose geschälte Tomaten
(425 ml)

Salz, Pfeffer
1 Prise Zucker
je 1 Bund frischen Majoran
und Thymian

Reis garen, warmstellen.
Gemüse putzen. Aubergine
und Zucchini in halbe Scheiben, Paprika in Würfel schneiden. Grob gewürfelte Zwiebel
in Olivenöl anbraten. Zer-

drückte Knoblauchzehe dazugeben. Gemüse in den Topf
geben und anbraten. Tomaten
dazugeben und alles bei mittlerer Hitze 15-20 Minuten
schmoren. Mit Salz, Pfeffer,
Zucker und einem Teil der
gehackten Kräuter abschmecken. Restliche Kräuter
in den Reis geben und das
Gemüse zum Reis servieren.

Gefüllte Auberginen ▷

2 große Auberginen
etwas Hefewürze
80-100 g Langkorn-
(Natur-)Reis
1 Dose vegetarische
Paste (50 g)
1 Zwiebel
1-2 El Hefeflocken
1-2 Eier
1-2 El (Vollkorn-)Semmelbrösel
Liebstöckel
Petersilie

Salz, Pfeffer
etwas Muskat
20 g geriebener Käse

Auberginen der Länge nach
teilen, aushöhlen und in
wenig Wasser einige Minuten
dünsten. Mit Hefewürze leicht
würzen. Reis garen. Noch heiß
mit der vegetarischen Paste
vermengen. Etwas abkühlen
lassen und das in Würfel
geschnittene Fruchtfleisch,

Zwiebelwürfel, Hefeflocken,
Eier, Semmelbrösel, gehackte
Kräuter, Salz und Muskat
zugeben, zu einem Teig verarbeiten und in die Auberginenhälften hineindrücken. Mit
geriebenem Käse bestreuen
und in eine gefettete Auflaufform setzen. Mit etwas Wasser
angießen und im Ofen ca. 30-
40 Minuten bei 200 Grad
überbacken. Dazu paßt Tomatensoße.

Reissalat mit Zucchini ▷

150 g Langkorn-(Natur-)Reis
Salz
2 mittelgroße Zucchini
1-2 Knoblauchzehen
Majoran
Thymian

2 El Olivenöl
1-2 El Rotweinessig

Reis garen. Zucchini waschen,
der Länge nach teilen und in
Scheiben schneiden. Knob-

lauchzehen zerdrücken, mit
den Gewürzen, Salz, Rotweinessig und Olivenöl vermischen. Reis, Zucchini und die
Soße vermengen, 30 Minuten
durchziehen lassen.

Frühlingsreis

160 g Langkorn-(Natur-)Reis
300 ml (Instant-)
Hefegemüsebrühe
½ Salatgurke
2 kleine Möhren
1 Bund Radieschen
3 Frühlingszwiebeln
1 Bund Dill

Für die Soße:
1 El Senf
2-3 El Rotweinessig

4 El Sonnenblumenöl
Salz, Pfeffer
½ Tl Frutilose oder Apfelsaft-
konzentrat
1 Tl Frischkäse mit Kräutern

Reis ca. 40 Minuten in leicht gewürzter Gemüsebrühe kochen. Abgießen und abkühlen lassen. Gurke und Möhren waschen, wenn nötig schälen, klein würfeln. Radies-chen und Zwiebeln in Scheiben schneiden. Dill klein-schneiden. Aus Senf, Essig, Öl, Salz und Frutilose eine Soße herstellen und mit den Salatzutaten vermischen. Durchziehen lassen und mit Frischkäse garnieren.

Spinatreis (Abb. S. 45)

200 g Langkorn-(Natur-)Reis
250 - 300 g Blattspinat
Muskatblüte, Salz
10 g Margarine
2 Zwiebeln
½ l (Instant-)Gemüsebrühe
Lorbeerblatt
3-4 Basilikumblätter

Reis waschen, gut abtropfen lassen. Blattspinat blanchieren, mit Salz und Muskat würzen. Zwiebel würfeln, in heißem Fett andünsten. Reis zugeben und mit kochender Gemüsebrühe aufgießen. Abgedeckt ca. 25-30 Minuten garen. Reis und Spinat vermischen und abschmecken, gehackte Basilikumblätter darüberstreuen. Spinatreis reicht man zu deftigem Fleisch und Fisch.

Pilzpfanne

▷

300 g Naturreis
20 g Pflanzenmargarine
2 Schalotten
Salz
Pfeffer
Saft einer Zitrone oder
⅛ l Weißwein

400 g Steinpilzchampignons
2 Knoblauchzehen
Petersilie

Reis garen. Gewürfelte Schalotten und geputzte, blättrig geschnittene Pilze im Fett andünsten. Salz, Pfeffer, Zitronensaft und gehackten Knoblauch zugeben. 5 Minuten dünsten. Mit dem Reis vermischen und mit Petersilie bestreuen. Dazu paßt Tomatensoße.

Safranreis mit Erbsen

300 g TK-Erbsen
1 Stck. Zimtstange (ca. 5 cm)
3 Gewürznelken
150 g Zwiebeln
3-4 El Butter(-schmalz)
500 g Basmati-Reis
2-3 Tl Salz
1 El gem. Kreuzkümmel
1 Döschen Safran

Erbsen auftauen. Zimt und Nelken in einer Pfanne unter ständigem Rühren anrösten, vom Herd nehmen. Zwiebeln sehr fein hacken, im Schmalz hellbraun braten. Reis in 1 l lauwarmem Wasser mit Salz zum Kochen bringen, 8 Minuten leicht sprudelnd kochen, dann abgießen. Reis, Gewürze, Kreuzkümmel und Safran zu den Zwiebeln geben und mischen. 5 Minuten auf der warmen Herdplatte ziehen lassen. Erbsen unterheben, nochmals 5 Minuten ziehen lassen und dann sofort servieren.

Kürbisreis

700 g Kürbis, 2 El Butter
1 l Fleisch- oder Gemüsebrühe
1 Zwiebel
1 Knoblauchzehe
200 g Rundkorn- oder Risotto-Reis, Salz, Pfeffer
⅛ l Weißwein
4 El geriebener Parmesan
½ Bund Schnittlauch

Kürbis schälen, entkernen, in Würfel schneiden. In 1 El Fett andünsten, etwas Brühe aufgießen, weich dünsten. Zwiebel und Knoblauch fein hacken, im übrigen Fett anbraten. Reis einstreuen, mit Weißwein ablöschen. Nach und nach ca. ¾ l der heißen Brühe zufügen. 25 Minuten gut ausquellen lassen. Kürbis abgießen und unter den Reis mischen. Mit Salz und Pfeffer abschmecken. Parmesankäse und feingehackten Schnittlauch darüberstreuen. Kürbis-Reis paßt gut zu Kurzgebratenem.

Paprika mit feuriger Reisfüllung

50 g rote Bohnen
2 Zwiebeln
2 Knoblauchzehen
3-4 El Olivenöl
ca. 100 g Langkorn-
(Natur-) Reis
300 ml (Instant-)
Gemüsebrühe
Salz
Paprikapulver rosenscharf
und edelsüß
2 Tomaten
1 kleine Peperoni
3 El Joghurt
100 g Schafskäse
4 rote oder grüne Paprika

Bohnen einige Stunden in Wasser einweichen. Dann in leicht gesalzenem Wassser ca. 40 Minuten kochen. Zwiebeln würfeln, Knoblauchzehen zerdrücken und beides in heißem Olivenöl goldgelb andünsten. Reis zugeben, mit 250 ml Gemüsebrühe aufgießen und bei geringer Wärme ca. 40 Minuten kochen. Mit Salz und Paprikapulver würzen. Tomaten und Peperoni überbrühen, enthäuten und halbieren und entkernen. Alles in kleine Würfel schneiden. Kurz blanchieren und mit dem Reis vermischen. Abgetropfte Bohnen und den gewürfelten Schafskäse ebenfalls dazugeben. Alles gut vermischen. Den oberen Teil der Paprika abschneiden, Kerne herausnehmen und einige Minuten in wenig Wasser kochen. Dann leicht salzen und die Reisfülle hineindrücken. Paprikaschoten in eine gefettete Form nebeneinander setzen und mit Gemüsebrühe angießen. Im Ofen bei 220 Grad ca. 15-20 Minuten überbacken.

Gefüllte Gurken mit Krabbenreis

2 Gemüsegurken
(ca. 1,5 kg)
170 g Langkorn- & Wildreis-
Mischung
Saft und Schale einer
halben unbehandelten
Zitrone
100 g Garnelen
Salz
Zitronenpfeffer
Cayennepfeffer
250 g Frühlingszwiebeln
1 Brötchen vom Vortag
2 Eier
¼ l Hühnerbrühe
150 ml Crème fraîche
1 Bund Zitronenmelisse

Gurken schälen, der Länge nach halbieren, entkernen, mit Salz bestreuen. Reis garen. Zitronenschale fein abreiben, den Saft über die Krabben träufeln, salzen. Mit Zitronen- und Cayennepfeffer würzen. Ziehen lassen. Zwiebeln in feine Ringe schneiden. Brötchen in heißem Wasser einweichen. Reis abgießen, gut abtropfen lassen, in eine Schüssel geben. Die Krabben samt Saft, Zwiebeln und Eiern zufügen. Brötchen ausdrücken, fein zerpflücken und zum Reis geben. Mit Salz, Pfeffer, Cayennepfeffer und Zitronenschale würzen, gut mischen, in die Höhlung der Gurkenhälften üppig einfüllen. Nebeneinander in eine flache Auflaufform setzen. Heiße Brühe angießen, mit Alufolie abdecken. Im Ofen ca. 45 Minuten schmoren. Gurken aus der Form nehmen, warmstellen. Brühe in einen kleinen Topf abgießen. Crème fraîche einrühren, sämig einkochen. Mit Gewürzen abschmecken. Zitronenmelisse-Blätter abzupfen, feinstreifig schneiden. In die Soße geben.

Pikante Reispfanne

▷

1 Zwiebel
20 g Butter
200 g Langkorn-(Natur-)Reis
600-700 ml (Instant-)
Gemüsebrühe
3 Möhren
1 Stange Porree
100 g Rosinen
125 g Erdnüsse
Saft einer halben Zitrone oder
3 El Weißwein

1 El Honig
Salz
Kurkuma
frische Ingwerwurzel

Zwiebeln vierteln, in heißem Fett glasig dünsten. Reis zugeben, mit der Gemüsebrühe angießen, aufkochen und bei geringer Wärmezufuhr 30 Minuten ausquellen lassen.

Möhren und Porree putzen, waschen in feine Stifte bzw. Ringe schneiden. Mit den Rosinen und den leicht angerösteten Erdnüssen zum Reis geben und ca. 5-10 Minuten mitgaren. Mit Honig, Zitronensaft oder Wein, Salz, Kurkuma und feingeschnittener Ingwerwurzel abschmecken, servieren.

Zweierlei Reis mit Austernpilzen

2 Zwiebeln
300 g Basmati-Reis
4 El Öl
600 ml Gemüsefond
(a.d. Glas)
150 g passierte Tomaten
1 Tomate
Salz, Cayennepfeffer
½ Bund Schnittlauch
3 El Butter
30 g Korinthen
1 ½ El Curry
250 g Austernpilze
3 Eier

Zwiebeln fein würfeln und mit dem Reis in 2 El heißem Öl glasig dünsten. Mit Gemüsefond auffüllen. Zugedeckt 18-20 Minuten ausquellen lassen. 1 El Öl erhitzen, passierte Tomaten dazugeben, offen 5 Minuten einkochen lassen. Tomate vierteln, entkernen und in kleine Würfel schneiden, in die Soße geben, mit Salz und Cayennepfeffer würzen. Schnittlauch waschen und in Röllchen schneiden, zuletzt unter die Soße rühren. Die Hälfte vom Reis unterrühren, warmhalten. 2 El Butter schmelzen, Korinthen dazugeben, 5 Minuten unter

Wenden andünsten. Curry unterrühren, etwas anschwitzen. Restlichen Reis unterheben, mit Salz und Cayennepfeffer würzen und warmhalten. Austernpilze in Spalten zupfen. Restliche Butter und Öl in einer Pfanne erhitzen. Pilze darin bei starker Hitze unter Wenden goldbraun braten. Eier mit 1 El Wasser, Salz und Cayennepfeffer verquirlen und über die Pilze gießen. Eimasse dabei mit einem Pfannenwender vom Rand in die Mitte schieben, bis sie gestockt ist. Die beiden Reisgerichte auf einer Platte anrichten, mit dem Rührei servieren.

Kokosreis mit Gemüse ▷

8 Trockenaprikosen
10 getrocknete Mu-Err-Pilze
200 g Basmati-Reis
450 ml (Instant-)
Gemüsebrühe
50 g Kokosflocken
250 g Brokkoli
2 Tomaten
1 Tasse Sojasprossen
½ Tl Zucker
3 El Sojasoße
schwarzer Pfeffer
1 Prise Cayennepfeffer

Aprikosen und Mu-Err-Pilze getrennt in kaltem Wasser ca. 4 Stunden einweichen. Reis in Gemüsebrühe garen. Inzwischen Kokosflocken ohne Fett anrösten, abkühlen lassen. Brokkoli putzen, zerkleinern, ca. 5 Minuten blanchieren und abtropfen lassen. Tomaten kurz ins Blanchierwasser geben, enthäuten, vierteln, entkernen und würfeln. Reis mit Brokkoli, Tomaten, abge-

tropften Sojasprossen, Mu-Err-Pilzen und halbierten Aprikosen mischen. Etwas Aprikosen-Einweichwasser zugeben und mit Zucker, Sojasoße und Pfeffer würzen. Mit Kokosflocken bestreuen.

Risotto mit Artischocken und Wurst

4 - 6 Portionen

4 kleine Artischocken
1 Zitrone
1 Zwiebel
2 Bratwürstchen (Salsicce)
3 El Olivenöl
250 g Rundkorn- oder
Risotto-Reis
⅛ l Weißwein
700 ml (Instant-)Gemüse-
brühe
Salz, Pfeffer
20 g Butter
2 Zweige frische Minze
50 g geriebener Pecorino oder
Parmesan

Artischocken waschen, die harten Außenblätter großzügig entfernen. die Spitzen der inneren Blätter abschneiden. Artischockenböden und -stiele abschälen. Bei größeren Artischocken das „Heu" in der Mitte entfernen. Zitrone auspressen und den Saft in eine Schüssel mit kaltem Wasser gießen, Artischocken hineinlegen. Zwiebel fein würfeln. Würstchen heiß abwaschen, abtrocknen und in Scheibchen schneiden. Die Zwiebel im Öl glasig braten. Artischocken abtropfen lassen, achteln und mit den Wurstscheibchen

unter Wenden 2 Minuten mitbraten. Reis untermischen und braten, bis er glasig wird. Wein zugießen und unter Rühren bei sanfter Hitze verdampfen lassen. Nach und nach heiße Brühe unter den Reis gießen, sobald er die Flüssigkeit aufgenommen hat. Risotto in 20-25 Minuten garen. Evtl. noch etwas heißes Wasser untermischen. Mit Salz und Pfeffer abschmecken. Kalte Butter unterrühren. Minze abspülen, Blättchen hacken und untermischen. Zusammen mit dem Käse zum Bestreuen servieren.

Gefüllte Kohlrabi

▷

1 Portion

75 g Naturreis
¼ bis ½ l (Instant-)
Gemüse-Hefebrühe
1 Kohlrabi
1 Möhre
1 Zwiebel
1 El Butter
2 Stiele Majoran
20 g geriebener Käse
weißer Pfeffer
½ g Biobin (a.d. Reformhaus)
1 El saure Sahne
Kohlrabigrün zum Garnieren

Reis in 150 ml Brühe garen. Kohlrabi schälen, halbieren und aushöhlen. Möhre und Zwiebel fein würfeln, in 1 Tl Butter andünsten. Majoranblättchen abzupfen, waschen, fein schneiden und mit dem Gemüse und dem Käse unter die Hälfte des Reis heben. Mit Pfeffer würzen. Masse in die ausgehöhlten Kohlrabihälften füllen. Kohlrabi in einen Topf setzen und von der restlichen Brühe soviel zugießen, daß das Gemüse bis zur Hälfte in der Flüssigkeit steht. Zuge-

deckt bei mittlerer Hitze kochen lassen. Aus dem Topf heben und warmstellen. ⅛ l Brühe abnehmen und aufkochen. Biobin mit der Sahne verrühren, zum Sud geben und damit binden. Mit Pfeffer abschmecken. Kohlrabiinneres würfeln und mit dem restlichen Reis in Butter braten, zum Kohlrabi servieren. Kohlrabiblättchen waschen, die kleinen hacken und über den Reis streuen, mit den großen Blättchen den Kohlrabi garnieren.

Risotto mit Scampi und Fenchel

4 - 6 Portionen

1 Zwiebel
1 Fenchelknolle
40 g Butter
4 El Olivenöl
250 g Rundkorn- oder
Risotto-Reis
2 Döschen Safran
700 ml (Instant-) Gemüse-
brühe
⅛ l Weißwein
12 Scampi (küchenfertig)
2 El weißer Martini
Salz
1 Prise Cayennepfeffer

Zwiebel klein würfeln. Vom Fenchel das Grün abschneiden, beiseite legen. Harte Stengel, Wurzelansatz und das Außenblatt entfernen. Waschen, vierteln und in dünne Streifchen schneiden. 20 g Butter und 2 El Olivenöl erhitzen, Zwiebel und Fenchel darin anbraten. Reis hinzufügen, unter Rühren kurz mitbraten. Hitze reduzieren. Safran in etwas Brühe auflösen, unterrühren. Nach und nach den Wein und die übrige Brühe dazugießen. In 20-25

Minuten garen. Scampi abspülen, abtrocknen. Scampi aus den Schalen brechen, längs halbieren, Därme entfernen. In 2 El Olivenöl von allen Seiten kurz braten, bis das Fleisch weiß ist, anschließend mit Martini beträufeln, beiseite stellen. Risotto mit Salz und Cayennepfeffer abschmecken. Restliche kalte Butter unterrühren. Evtl. etwas heißes Wasser untermischen. Scampi mit dem Bratfond unter den Risotto heben, mit Fenchelgrün bestreut servieren.

Tomatenreis

250 g Langkornreis
20 g Margarine
1 Zwiebel
1 Hefe- oder Gemüse-
brühwürfel, Salz
1 Lorbeerblatt
1 große Zwiebel
1-2 Knoblauchzehen
2 El Olivenöl
800 g Tomaten
Kräuter der Provence

1 Prise Zucker
etwas Sahne
50 g geriebener Käse
Petersilie

Gewaschenen, abgetropften Reis mit den gewürfelten Zwiebeln im Fett andünsten, würzen und mit kochendem Wasser (ca. 600-700 ml) aufgießen. Aufkochen und ca.

30 Minuten garen lassen. Kleingehackte Zwiebeln im Olivenöl andünsten. Tomaten überbrühen, enthäuten, entkernen, würfeln und mit den übrigen Zutaten zu den Zwiebeln geben, ca. 5 Minuten dünsten, abschmecken. Mit dem Reis mischen, geriebenen Käse und gehackte Petersilie unterrühren.

Risotto mit Zucchini

10 g getrocknete Steinpilze
50 ml Madeira
2 Schalotten
1 Knoblauchzehe
50 g Räucherspeck
400 g Zucchini
200 g Austernpilze
250 g Kalbsschnitzel
2 El Olivenöl
300 g Rundkorn- oder
Risotto-Reis
3 Stengel Thymian
1 Rosmarinzweig
¾ l Hühnerbrühe
3 El Butter
Salz, Pfeffer
8 Zucchiniblüten
½ Zitrone

Steinpilze abbrausen. Madeira mit Wasser auf ⅛ l auffüllen, die Pilze darin eine Stunde einweichen. Pilze abgießen, Einweichwasser auffangen. Pilze klein hacken. Schalotten und Knoblauch fein hacken. Speck klein würfeln. Zucchini waschen und putzen, in nicht zu feine Stifte schneiden. Austernpilze abreiben, zerteilen. Fleisch in feine Streifen schneiden. Den Speck in 1 El Öl auslassen. Schalotten und Knoblauch zusammen andünsten. Reis einrühren und glasig rösten. Steinpilze kurz miterhitzen. Mit dem Einweichwasser der Pilze ablöschen, rühren, bis es verdampft ist.

Feingehackte Kräuter zufügen. ¼ l der heißen Brühe angießen und einköcheln lassen. Nach und nach restliche Brühe zufügen. 10 Minuten unter Rühren garen. Zucchini 3 Minuten in 2 El Butter schwenken. Austernpilze zugeben, salzen und pfeffern. Gemüse unter den Risotto mischen, 10 Minuten mitgaren. Je 1 El Öl und Butter erhitzen, das Fleisch braun anbraten, würzen. Blüten abspülen, vier grob zerteilen, mit dem Fleisch unter den Risotto heben. Mit Salz, Pfeffer und Zitronensaft würzen. Mit je einer Zucchiniblüte garnieren und sofort servieren.

Bunte Reispfanne mit Eiern

▷

375 g Naturreis
je 1 rote, grüne und gelbe
Paprikaschote
1 große Zwiebel
2-3 Knoblauchzehen
4 El Olivenöl
1 El Edelsüßpaprikapulver
¾ l (Instant-)Hühnerbrühe
1 Lorbeerblatt
Salz, Pfeffer
4 Eier
50 g geriebener Käse

Paprikaschoten putzen, waschen und würfeln. Zwiebel und Knoblauch fein hacken und im Öl kurz anbraten. Paprikaschoten, Paprikapulver und den Reis zufügen, unter Rühren 1 Minute weiterbraten. Brühe angießen, mit Lorbeerblatt, Salz und Pfeffer würzen. 25 Minuten leicht kochen lassen. Der Reis soll die Flüssigkeit beinahe aufgenommen haben. Vier Vertiefungen in den Reis drücken, in jede ein Ei schlagen und bei aufgelegtem Deckel 5-8 Minuten stocken lassen. Käse darüberstreuen.

Risotto mit Mangold

500 g Mangold
3 Frühlingszwiebeln
1 Bund Petersilie
1 Knoblauchzehe
2 El Öl, 30 g Butter
400 g Rundkornreis (z.B. Arborio)
⅛ l Weißwein
1 l Fleischbrühe
Salz, Pfeffer
75 g Parmesan

Mangold waschen, abtropfen lassen, Stiele keilförmig aus den Blättern schneiden. Blätter hacken. Frühlingszwiebeln waschen, putzen und schräg in Ringe schneiden. Petersilie abspülen, etwas zum Garnieren beiseitelegen. Die Blätter von den Stengeln zupfen. Mangoldblätter und das Grüne der Frühlingszwiebeln zusammen eine Minute blanchieren, abtropfen lassen. Eine Handvoll abnehmen, das übrige Gemüse mit Petersilie fein pürieren. Mangoldstiele in kleine Würfel schneiden. Knoblauchzehe abziehen und fein hacken. Restliche Frühlingszwiebeln, Knoblauch und Mangoldstiele im Öl weich dünsten. Reis dazuschütten, unter ständigem Rühren in ca. 3 Minuten glasig werden lassen. Weißwein angießen und köcheln, bis er verdampft ist. Nach und nach heiße Fleischbrühe angießen und unter Rühren in ca. 20 Minuten offen einkochen lassen. Kurz vor Ende der Garzeit das Mangoldpüree unterrühren, mit Salz und Pfeffer abschmecken. 3 El Parmesan und die Butter flöckchenweise unter den Risotto heben und das Gemüse unterziehen. Mit Petersilie und geriebenem Parmesan bestreut servieren.

Gefüllte Tomaten

100 g Basmati-Reis
Salz, Pfeffer
4 Tomaten
einige Stiele Basilikum
500 g Spinat
1 Zwiebel
200 g Sahne
1 El heller Soßenbinder

Reis garen. Tomaten überbrühen, enthäuten. Je einen Deckel abschneiden und aushöhlen. Basilikum in Streifen schneiden. Reis abtropfen lassen, mit Salz und Pfeffer würzen. Basilikum unter den Reis geben und die Mischung in die Tomaten füllen. Diese in eine gefettete Form setzen und im Ofen bei 200 Grad ca. 7 Minuten erwärmen. Für die Soße Spinat putzen, waschen, blanchieren, abtropfen lassen. Zwiebel fein würfeln, im Fett glasig dünsten. Mit Sahne ablöschen, aufkochen. Spinat zugeben und mit dem Handrührgerät pürieren. Soßenbinder unter Rühren einstreuen, aufkochen. Mit Salz und Pfeffer abschmecken. Tomaten mit der Spinatsauce anrichten, mit Basilikum garnieren.

Risotto mit weißem und grünem Spargel

4 - 6 Portionen

je 250 g weißer und grüner Spargel
700 ml (Instant-)Hühnerbrühe
40 g Butter
250 g Rundkorn- oder Risotto-Reis
⅛ l Weißwein
Salz, Pfeffer
1 Prise Muskat
50 g Sahne
80 g frischgeriebener Parmesan

Spargel waschen, schälen, die harten Enden entfernen. Spitzen abschneiden, beiseite legen. Stangen in kleine Stücke schneiden. Schalen und Enden in die Brühe geben, einmal aufkochen. Die Hälfte der Butter in einem Topf erhitzen, einmal aufschäumen lassen. Spargelstücke bei Mittelhitze darin 3-4 Minuten unter Rühren braten. Reis hinzufügen, mitbraten, bis er glasig wird. Alles mit Wein ablöschen und kochen lassen, bis er fast verdampft ist. Brühe durch ein Sieb gießen, etwas davon unter den Reis geben. Spargelspitzen unterheben, immer wieder etwas Brühe nachgießen. Insgesamt 20-25 Minuten köcheln lassen, mit Salz, Pfeffer und Muskat abschmecken. Restliche Butter, Sahne und die Hälfte des Parmesan unterrühren, so daß der Risotto schön geschmeidig wird. Evtl. etwas heißes Wasser untermischen. Mit dem restlichen Käse zum Bestreuen servieren.

Indisches Reisgericht

▷

250 g Basmati- & Thai-Reis
1 Aubergine
4 Möhren
300 g grüne Bohnen
1 Fleischtomate
200 g (TK-)Erbsen
200 g kleine Zwiebeln
Salz
1 rote Chilischote
4 El Öl
½ Tl Kurkuma
2 Gläser Soßenfix für Fleischpfanne Indisch Curry

2 El Kokosmilch
½ Bund glatte Petersilie

Reis garen. Aubergine, Möhren, Bohnen und Tomate putzen und waschen. Aubergine in dünne, Möhren in dickere Scheiben schneiden. Tomate achteln. Erbsen auftauen lassen, Zwiebeln abziehen. Bohnen in Salzwasser 5 Minuten blanchieren und abtropfen lassen. Chilischote in Ringe schneiden, entkernen. Auberginenscheiben, Zwiebeln, grüne Bohnen, Erbsen und Möhrenscheiben in einem Topf in erhitztem Öl kurz anbraten. Kurkuma darüberstreuen und 5 Minuten dünsten. Soßenfix, Kokosmilch, Tomatenachtel und Chilischote dazugeben. Bei schwacher Hitze weitere fünf Minuten dünsten. Petersilie hacken und unter das Gemüse mischen.

Kokosreis mit roten Bohnen

8 - 10 Portionen

1 Dose ungesüßter Kokosnußextrakt (400 ml)
225 g Basmati-Reis
2 Dosen rote Bohnen
150 g Frühstücksspeck
3 Knoblauchzehen
2-3 frische rote Chilischoten
100 g frisches Kokosnußfleisch, 2 El Öl
1 kleine Dose Tomaten
(240 g)

Kokosnußextrakt in einem Topf mit 200 ml Wasser mischen. Reis und rote Bohnen jeweils in einem Sieb abspülen, abtropfen lassen. Speck fein würfeln. Knoblauch durchpressen. Chilischoten längs aufschlitzen, entkernen und fein hacken. Kokosfleisch in möglichst lange, dünne Späne schneiden, in einer Pfanne ohne Fett goldbraun rösten. Speck, Knoblauch und Chili im Öl unter Wenden 8-10 Minuten anschwitzen. Kokosnußextrakt bei milder Hitze zum Kochen bringen, Reis einrühren, bei geringer Wärmezufuhr ca. 10 Minuten zugedeckt ausquellen lassen. Speck-Mischung, Bohnen und Tomaten (ohne Flüssigkeit) unter den Reis heben, salzen, nochmals erwärmen. In einer Schüssel anrichten, mit den Kokosspänen bestreuen.

Portugiesische Reispfanne

▷

250 g Reis
1 Gemüsezwiebel
2 Fleischtomaten
2 Möhren
2 El Olivenöl
½ l klare Brühe
200 g Kochschinken am Stück
200 g Salami in Scheiben
Salz
Pfeffer
Paprikapulver
Chilipulver

Safran
je 10 grüne und schwarze Oliven
2 El gehackte Petersilie

Reis garen. In der Zwischenzeit Gemüsezwiebel würfeln. Fleischtomaten überbrühen, enthäuten, in Scheiben schneiden. Möhren schälen, würfeln. Gemüse in Öl kurz andünsten, mit Brühe angießen und abgedeckt ca. 10 Minuten garen. Kochschinken in Würfel schneiden, Salamischeiben halbieren. Schinken, Salami und Reis zum Gemüse in die Pfanne geben. Mit Salz, Pfeffer, Paprikapulver, Chilipulver und Safran würzen. Oliven untermischen und die Reispfanne auf Teller angerichtet servieren. Oliven in einer Schale dazu reichen.

Rotkohlröllchen orientalische Art

1 mittelgroßer Rotkohl
300 g Hühnerbrustfilet
2 Eier
Curry
1 Tl getrocknete Minze
1 Msp. Piment
Salz
Pfeffer
1 El Sojasoße
2 El Pinienkerne
3 El Öl
4 El eingelegte Kürbisstücke
250 g Reis (im Kochbeutel)

Sechs schöne Blätter vom Rotkohlstrunk ablösen, halbieren, 5-8 Minuten blanchieren, abschrecken und abtropfen lassen. Hühnerfilet feinstreifig schneiden, die Hälfte mit den Eiern pürieren. Das Püree mit Curry, Minze, Piment, Salz, Pfeffer und Sojasoße kräftig würzen. Pinienkerne hellbraun rösten. Fleischstreifen in 1 El Öl kurz anbraten. Kürbis klein schneiden. Fleischcreme auf die 12 Kohlblätter streichen. Mit der Hälfte der Pinienkerne, Kürbis und den gebratenen Fleischstücken belegen. Zu Röllchen drehen und in eine gefettete, flache Form setzen. Mit Öl bestreichen. Etwas Wasser und Kürbissud hinzugießen, im Ofen bei 225 Grad ca. 20 Minuten backen. Reis garen und zu den Röllchen servieren. Pinienkerne und Minzeblättchen darüberstreuen.

Gemüse-Pilaw mit Korinthen und Mandeln

250 g Langkornreis
1 Döschen Safranpulver
1 Zwiebel
1 rote Paprikaschote
1 rote Chilischote
200 g Möhren
300 g Blattspinat
50 g Korinthen
20 g Mandelsplitter
50 g Butter
100 ml Gemüsefond
(a.d. Glas)
Salz,
Cayennepfeffer

Reis und Safran in kochendes gesalzenes Wasser geben und 18-20 Minuten garen. Abtropfen lassen. Zwiebel fein würfeln. Paprika- und Chilischote längs halbieren, entkernen, fein würfeln. Spinat putzen, waschen. Tropfnaß in einem Topf unter Wenden zusammenfallen lassen, gut ausdrücken, grob hacken. Korinthen mit warmem Wasser bedecken. Mandelsplitter ohne Fett rösten, aus der Pfan-

ne nehmen. Zwiebel, Paprika, Chili, Möhren und abgetropfte Korinthen in Butter andünsten. Mit Fond ablöschen, zugedeckt 10 Minuten garen. Reis und Spinat unterheben, erwärmen, mit Salz und Cayennepfeffer würzen. Pilaw mit Mandelsplittern bestreut servieren.

Gefüllte Wirsingrouladen

▷

8 große Wirsingblätter
Salz
125 g Reis
100 g Pilze
2 Möhren
1 Bund glatte Petersilie
2 Zwiebeln
4 El Öl
150 g Emmentaler Käse
1 Ei
Pfeffer
300 g Schweinegeschnetzeltes
5 El Weißwein
2 Gläser Soßenfix für Fleischpfanne Fricassée

Wirsingblätter waschen, 3 Minuten blanchieren, kalt abschrecken. Reis garen. Inzwischen Pilze putzen und in Scheiben schneiden. Möhren in feine Stifte schneiden, Zwiebeln würfeln und Petersilie hacken. Das Gemüse in zwei Eßlöffel Öl kurz anbraten und entstehende Flüssigkeit abgießen. Reis untermischen, abkühlen lassen. Käse grob reiben, mit Ei und der Hälfte der Petersilie unter den Reis mischen. Mit

Salz und Pfeffer würzen. Gemüsereis gleichmäßig auf die Wirsingblätter verteilen, aufrollen und mit Zahnstochern feststecken. Fleisch im restlichen Öl scharf anbraten, herausnehmen, warmstellen. Wirsingrouladen im Bratensatz von allen Seiten anbraten, Wein, Fleisch und Soßenfix dazugeben und zugedeckt ca. 15 Minuten garen. Auf vier Teller verteilen und nach Belieben mit Kümmelblüten garniert servieren.

Schweizer Blumenkohl-Brokkoli-Tarte

300 (TK-)Blätterteig
1 Pck. „Schweizer
Reisspezialität"
300 g Blumenkohl
300 g Brokkoli
Salz
1 Zwiebel
6 Eier
400 ml Sahne
2 El gehackte Kräuter
Pfeffer
Muskat
abgeriebene Schale
einer halben
Zitrone

Blätterteigscheiben auftauen lassen, mit Wasser bepinseln, übereinanderlegen und kreisförmig mit einem Durchmesser von 30 cm ausrollen. Boden und Rand einer Tarteform mit kaltem Wasser ausspülen. Form mit Blätterteig auskleiden. Reis nach Packungsanleitung zubereiten. Blumenkohl und Brokkoli waschen, putzen und in kleine Röschen teilen, ca. 15 Minuten in Salzwasser garen. Reismischung und gut abgetropftes Gemüse auf dem Blätterteigboden verteilen. Zwiebel fein hacken. Eier verquirlen, Sahne unter Rühren dazugießen. Kräuter und Zwiebel untermischen, mit Salz, Pfeffer, Muskat und Zitronenschale würzig abschmecken. Die Eisahne gleichmäßig über das Gemüse und den Reis verteilen. Im Ofen bei 200 Grad ca. 45 Minuten goldgelb backen. Vor dem Anschneiden noch 10 Minuten ruhen lassen.

Risotto mit Schwarzwurzeln

500 g Schwarzwurzeln
Weißweinessig
2 Zwiebeln
100 g Butter
250 g Rundkornreis (z.B. Arborio)
⅝ l (Instant-)Gemüsebrühe
1 Döschen Safran
3 Bund Frühlingszwiebeln
50 g Mandeln
Salz,
weißer Pfeffer
80 g frischgeriebener
Parmesan

Schwarzwurzeln schälen, in Stücke schneiden, in Essigwasser legen. Zwiebeln fein würfeln. 60 g Butter aufschäumen lassen, Zwiebeln darin glasig dünsten. Schwarzwurzeln und Reis zugeben, darin andünsten. Brühe erhitzen und durch ein Sieb gießen. Safran darin auflösen und zu den Schwarzwurzeln geben. 25 Minuten zugedeckt garen, zwischendurch mit zwei Gabeln auflockern. Evtl. etwas Wasser zugießen. Inzwischen die Frühlingszwiebel waschen, putzen und schräg in Stücke schneiden. Mandeln in Stifte schneiden. 5 Minuten vor Ende der Garzeit die restliche Butter erhitzen, Mandeln und Zwiebeln kurz hineingeben, darin wenden. Mit Salz würzen und alles unter den Risotto geben. Kräftig mit Pfeffer würzen. Mit Parmesan bestreuen und sofort servieren.

Griechischer Reisauflauf

▷

200 g Langkorn- & Wildreis-
mischung, 2 El Öl
2 Zwiebeln
400 g Hackfleisch
1 Zucchini
1 Aubergine
2 Knoblauchzehen
500 g Tomaten
getrockneter Thymian und
Oregano
Paprikapulver
Salz, Pfeffer

100 g Schafskäse
8 eingelegte rote Peperoni

Reis garen. Zwiebel würfeln und im Öl glasig dünsten. Hackfleisch zugeben und anbraten. Zucchini und Aubergine waschen, putzen und in Scheiben schneiden. Zum Hackfleisch geben, 5 Minuten dünsten. Knoblauchzehen abziehen und zerdrücken.

Tomaten waschen, würfeln und mit dem Knoblauch zum Hackfleisch geben. Alles mit Kräutern und Gewürzen abschmecken. Reis und Hackfleisch-Gemüse-Masse in eine gefettete Auflaufform geben. In Würfel geschnittenen Schafskäse daraufgeben und mit den Peperoni garnieren. Im Ofen bei 225 Grad ca. 10 Minuten garen.

Gemüsepfanne

125 g Reis (im Kochbeutel)
600 g TK-Balkangemüse
1 El Butter, Pfeffer
1 Scheibe gekochter Schinken
200 ml (Instant-)Brühe
3 El Sojasoße

Cayennepfeffer
1 Bund Petersilie

Reis garen. Gemüse in einer großen Pfanne garen. In Butter schwenken. Schinken in

½ cm große Würfel schneiden, zum Gemüse geben. Brühe angießen. Mit Sojasoße und Pfeffer würzen. Reis unterheben. Petersilie hacken. Unter das Reisgericht heben.

Risotto mit Tintenfisch

300 g Tintenfisch (frisch
oder TK)
1 Zwiebel
1 Knoblauchzehe
100 ml Olivenöl
200 ml Weißwein
1 Beutel Tintenpaste (a.d.
Fisch-Feinkostgeschäft)
Salz, Pfeffer
300 ml Fischfond (a.d. Glas)
400 g Rundkorn- oder Risotto-
Reis
1 Bund Petersilie

Tintenfisch waschen, abtropfen lassen und in Ringe schneiden. Zwiebel und Knoblauchzehe fein hacken. Knoblauch und die Hälfte der Zwiebel in 50 ml Öl anbraten. Tintenfisch zugeben, anbraten. Mit der Hälfte des Weins ablöschen, Tintenpaste einrühren. Salzen, pfeffern und einen Schuß Fond angießen. Zugedeckt ca. 10 Minuten kochen. Inzwischen restliches Öl erhitzen, übrige Zwiebelwürfel darin glasig dünsten. Reis hinzufügen, umrühren. Übrigen Wein zugießen, dann den Tintenfisch und restlichen Fond zugeben. 20 Minuten kochen. Vor dem Servieren Petersilie hacken und aufstreuen.

Gefüllte Zucchini   ▷

4 Zucchini
2 Zwiebeln
2 Knoblauchzehen
2 El Olivenöl
300 g Lammhackfleisch
Salz, Pfeffer
je 1 Tl Thymian und Oregano
150 g Schafskäse
1 Fleischtomate
3 El Butter
½ Tasse Weißwein
1 kleine rote Paprikaschote
200 g Langkornreis
½ Tl Paprikapulver
1 Bund Petersilie

Zucchini waschen, längs halbieren. Fruchtfleisch herauslösen und in kleine Würfel schneiden. Zwiebel fein hacken, in Olivenöl andünsten. Hackfleisch und zerdrückte Knoblauchzehen zugeben und anbraten. Mit Salz, Pfeffer und Kräutern würzen. Schafskäse in kleine Stücke teilen. Tomaten überbrühen, enthäuten und fein würfeln. Schafskäse, Tomaten und Zucchinifruchtfleisch zum Fleisch geben und kurz mitschmoren. Zucchinihälften mit der Masse füllen und in eine mit 2 El Butter gefettete Auflaufform setzen. Wein angießen. Im Ofen bei 180 Grad 15 Minuten garen. In der Zwischenzeit Paprikaschoten in feine Würfel schneiden und in restlicher Butter kurz andünsten. Reis garen. Paprikawürfel und Paprikapulver unterheben, Reis mit Zucchini auf Tellern anrichten, mit gehackter Petersilie bestreut servieren.

Gemüsezwiebel spanische Art

▷

250 g Langkornreis
4 Gemüsezwiebeln
400 g Schweinefleisch
3 El Öl
je 1 rote und grüne
Paprikaschote
1 Fleischtomate
je 10 grüne und schwarze
Oliven (a.d. Glas)
Salz, Pfeffer
Paprikapulver
⅛ l (Instant-)Fleischbrühe
Kresse zum Verzieren

Reis garen. Zwiebeln abziehen, Deckel abschneiden und so aushöhlen, daß zwei bis drei Häute stehen bleiben. Das Innere klein schneiden. Fleisch würfeln und mit Zwiebeln in erhitztem Öl anbraten. Paprikaschoten in Streifen schneiden, Tomate würfeln und mit Oliven in die Pfanne geben. Gegarten Reis unterheben, alles mit Salz, Pfeffer und Paprikapulver abschmecken und ca. 5 Minuten schmoren lassen. Mischung in die ausgehöhlten Zwiebeln füllen. Rest in eine Auflaufform geben und die Zwiebeln darauf setzen. Brühe angießen und ca. 25 Minuten im Ofen bei 175 Grad garen. Nach Wunsch Tomatensoße dazu reichen und mit Kresse bestreut servieren.

Tomaten mit Scampi-Reis-Füllung

100 g Reis
7 Scampi (ohne Kopf)
6 Fleischtomaten
100 g Zwiebeln
1-2 Knoblauchzehen
4 El Olivenöl
50 g Butter
2 El Tomatenmark
50 g geh. Oliven
50 g geh. Pistazien
1 Ei
Salz, Cayennepfeffer

Reis garen. Scampi aus der Schale brechen, Darm entfernen, 3 Scampi längs halbieren, die anderen hacken. Von den Tomaten einen Deckel abschneiden. Fruchtfleisch herausheben, hacken. Zwiebeln und Knoblauch hacken und zusammen mit dem Tomatenfleisch in 2 El Öl und der Butter andünsten. Mit dem Tomatenmark 15 Minuten zugedeckt garen. Gehackte Scampi mit Oliven und Pistazien, Reis und Ei mischen. Mit Salz und Cayennepfeffer würzen. In die Tomaten füllen, mit Scampihälften belegen. Nochmals würzen und mit Öl bestreichen. Soße in eine Auflaufform füllen, Tomaten daraufsetzen. Im Ofen bei 200 Grad 15 Minuten garen. Sofort servieren.

Buntes Pfannengemüse auf Reis ▷

3 El Kokosraspel
150 g grüne Bohnen
Salz
2 Tomaten
½ kleiner Chinakohl
½ Dose Maiskölbchen
½ Glas Bohnenkeime
1 Zwiebel
2 Knoblauchzehen
250 g Basmati- & Thai-Reis
3 El Öl
1 Stück Ingwer (ca. 10 g)
1 Tl Speisestärke
2 Tl gekörnte Gemüsebrühe
2 El Sojasoße
½ Tl Sambal oelek
1 El Zucker

Kokosraspel mt ⅛ l Wasser einweichen. Bohnen waschen, putzen, Fäden abziehen, in 4 cm lange Stücke schneiden, 5-7 Minuten in sprudelndem Salzwasser kochen, abtropfen lassen. Tomaten und Chinakohl waschen, Tomaten achteln, Chinakohl in ½ cm breite Streifen schneiden. Maiskölbchen und Bohnenkeime abtropfen lassen. Zwiebel halbieren, in feine Streifen schneiden, Knoblauch abziehen und zerdrücken. Reis garen. Öl erhitzen, Zwiebel und Knoblauch andünsten, vorbereitetes Gemüse zugeben und unter Rühren kurz weiterdünsten. Ingwer schälen und fein reiben. Eingeweichte Kokosraspel mit Stärke, Ingwer, Gemüsebrühe, Sojasoße, Sambal oelek und Zucker verrühren, unter das Gemüse heben und einmal aufkochen lassen. Gemüse zum Reis servieren.

Risotto mit Morcheln

20 g getrocknete große
Morcheln
1 Zwiebel, 2 El Butter
1-2 Knoblauchzehen
50-70 g Parmesan (am Stück)
250 g Rundkorn- oder Risotto-
Reis, 1 El Öl
1 Tl grüne Pfefferkörner
⅜ l Gemüsefond (a.d. Glas)
⅛ l Sahne
Salz, Pfeffer

Morcheln in gut ⅛ l warmem Wasser 15 Minuten einweichen. Durch ein Haarsieb gießen, Einweichwasser auffangen. Zwiebel fein würfeln. Knoblauch pressen. Parmesan in dünne Scheiben hobeln. Butter und Öl im Topf erhitzen. Zwiebel, Knoblauch und Reis unter Wenden darin glasig dünsten. Ausgedrückte Morcheln und grünen Pfeffer dazugeben und mit andünsten. Gemüsefond und Pilz-Eichweichwasser auf ½ l abmessen, mit der Sahne erhitzen, nach und nach angießen. 25-40 Minuten ausquellen lassen. Dabei öfter umrühren. Mit Salz und Pfeffer würzen. Mit Parmesanspänen bestreut servieren.

Risotto mit Pfifferlingen

▷

250 g Pfifferlinge
1 Zwiebel
40 g Butter
250 g Rundkorn- (Natur-) Reis
800 ml (Instant-)Gemüse-
brühe
Salz, Pfeffer
Safran

2 El Zitronensaft
1 Bund gehackte Petersilie
4 El geriebener Hartkäse

Pfifferlinge putzen und waschen, Zwiebel würfeln. Beides in heißem Fett andünsten. Reis zugeben, ebenfalls andünsten. Kochende Gemüsebrühe nach und nach zugeben und alles insgesamt ca. 40 Minuten garen. Mit Salz, Pfeffer, Safran und Zitronensaft abschmecken. Gehackte Petersilie unterheben und mit geriebenem Käse bestreuen.

„Dino-Ei" im Reis-Nest

4 El Zucker
2 Beutel grüne Götterspeise
150 g kernlose Weintrauben
½ l Milch
Salz
2 El Kokosraspel
2 El Rosinen
2 El gehackte Pistazien
10 Belegkirschen
125 g Langkornreis (im Kochbeutel)

¾ l Wasser in einen Topf geben, Zucker einstreuen, zwei Beutel Götterspeise einrühren und 5 Minuten quellen lassen. Götterspeise erhitzen, aber nicht kochen lassen. Weintrauben waschen und auf dem Boden einer eiförmigen Form verteilen. Götterspeise in die Form füllen, drei Stunden im Kühlschrank kaltstellen. In der Zwischenzeit Milch in einen Topf geben, etwas Salz, Kokosraspel, Rosinen und Pistazien zufügen. Belegkirschen halbieren und ebenfalls in die Milch geben. Reis aus dem Beutel einstreuen. Alles erhitzen und unter ständigem Rühren kochen lassen, bis die Milch verkocht ist. Erkalten lassen. Dino-Ei auf einen großen Teller stürzen, den bunten Reis um das Ei arrangieren.

Asiatische Gurkenpfanne

300 g Hähnchenbrustfilet
2 Tl Speisestärke
Salz
Pfeffer
500 g Schmorgurken
200 g Möhren
200 g Bohnenkeime
2 Lauchzwiebeln
4 El Öl
2 Knoblauchzehen
1 walnußgroßes Stück frischer
Ingwer (oder 1 Tl
Ingwerpulver)
⅛ l (Instant-)Hühnerbrühe
2-3 El Sojasoße
2 El trockener Sherry
Tabasco
Zucker

Hähnchenfleisch quer zur Faser in schmale Streifen schneiden. In Stärke wenden, salzen und pfeffern. Gurken waschen, ungeschält längs halbieren, entkernen. Die Hälften in streichholzlange Stifte schneiden. Möhren schälen, ebenfalls in dünne Streifen teilen. Bohnenkeime abbrausen, gut abtropfen lassen. Lauchzwiebeln waschen, putzen und schräg in feine Scheiben schneiden. Fleisch portionsweise in 2 El Öl kräftig anbraten. Aus der Pfanne nehmen, beiseitestellen. Knoblauch und Ingwer schälen,

fein würfeln. Im restlichen Öl andünsten. Möhren- und Gurkenstifte hinzufügen und 3-4 Minuten unter Rühren mitbraten, herausheben. Lauchzwiebeln und Bohnenkeime im übrigen Bratfett 1 Minute unter Rühren braten. Gurkenmischung zurück in die Pfanne geben. Hühnerbrühe, Sojasoße und Sherry verquirlen, zum Gemüse gießen, 4-5 Minuten köcheln lassen. Mit Tabasco und Zucker abschmecken. Fleisch und Fleischsaft dazugeben, alles bei starker Hitze mischen. Mit Salz und Pfeffer würzen.

Reis mit Geflügelvariationen

Hühnergeschnetzeltes mit Chilireis

250 g Langkornreis
(im Kochbeutel)
4 Stangen Staudensellerie
200 g Champignons
1 Zwiebel
2 El Öl
400 g TK-Erbsen
Salz, Pfeffer
500 g Hühnerbrustfilet
Currypulver
2 Gläser Fleischpfannen-Fix
„Chinesisch Szechuan"
1 grüne Paprikaschote
1 rote Chilischote
Saft und Schale einer unbehandelten Limone

Reis garen. Staudensellerie und Champignons waschen und putzen. Sellerie in Stücke schneiden, Champignons vierteln. Zwiebel würfeln, in 1 El Öl andünsten. Sellerie, Champignons und Erbsen dazugeben, mit Salz und Pfeffer würzen, bei geringer Hitze dünsten. Hühnerbrustfilet in Würfel schneiden, mit Salz, Pfeffer und Curry würzen und im restlichen Öl scharf anbraten. Fleischpfannen-Fix dazugeben, 5 Minuten schmoren lassen. Paprika- und Chilischo-

te halbieren, entkernen, fein würfeln. Limone waschen und abreiben, halbieren, Saft auspressen und alles mit dem Reis vermengen. Hühnergeschnetzeltes mit Gemüse auf Teller anrichten, mit dem Chili-Reis servieren.

Gerösteter Puter mit Preiselbeersoße (Abb. S. 83)

2 Putenunterkeulen
Salz, Pfeffer
4 El Öl
250 g 7-Corn-Equilinia
(Reisspezialität)
100 g Preiselbeeren
3 El brauner Zucker
2 Äpfel
1 Tl abgeriebene Schale einer
unbehandelten Orange
Nelkenpulver
2 El gehackter Schnittlauch

Putenunterkeulen mit Salz und Pfeffer einreiben, im Öl von allen Seiten scharf anbraten. Dann im Ofen bei 200 Grad ca. 30 Minuten garen. Inzwischen 7-Corn-Equilinia zubereiten. Preiselbeeren, waschen, verlesen, mit Zucker und 7 El Wasser in einen Topf geben. Äpfel schälen, in feine Spalten schneiden, zu den Beeren geben. Zugedeckt ca.

15 Minuten köcheln lassen, dabei öfters umrühren und evtl. etwas Wasser nachgießen. Mit Orangenschale und Nelkenpulver abschmecken, kalt stellen. Schnittlauch unter den 7-Corn-Equilinia mischen. Fleisch von den Keulen lösen, in Scheiben schneiden. Mit Preiselbeersoße und 7-Corn-Equilinia auf Tellern anrichten und servieren.

Lackiertes Thai-Hähnchen im Reisrand   ▷

1 großes Brathähnchen
Salz, Pfeffer
200 ml Pflaumenwein
100 ml Reiswein
100 ml Reisessig
300 g Zwiebeln
200 g Frühlingszwiebeln
1 rote Paprikaschote
200 g entsteinte Back-
pflaumen
2 Zweige Thymian
1 Tl gemahlener Koriander
1 Tl gemahlener Anis
½ Tl Zimt
50 g Zucker
400 ml roter Portwein
½ Tl Currypulver
1 Msp. Cayennepfeffer
200 g Basmati- & Thai-Reis

Hähnchen waschen, trocken-tupfen, innen und außen mit Salz und Pfeffer einreiben. Für die Marinade Pflaumenwein, Reiswein und -essig aufko-chen. Zwiebeln, Frühlings-zwiebeln und Paprikaschoten fein würfeln bzw. in feine Ringe schneiden. Pflaumen in kleine Stücke schneiden, mit den Zwiebeln, Frühlingszwie-beln, Paprika, gehacktem Thy-mian, Koriander, Anis und Zimt aufkochen lassen. Heiß über das Hähnchen gießen, abkühlen lassen, zugedeckt einen Tag marinieren. Das Hähnchen mit der Gemüse-Marinade in einem Bräter auf der unteren Schiene des Ofens bei 200 Grad 50 Minuten schmoren, dabei einmal wen-

den. Inzwischen für den „Lack" den Zucker unter Rühren schmelzen und leicht bräunen. Portwein zugießen, bei starker Hitze dickflüssig einkochen lassen. Mit Curry und Cayennepfeffer würzen. Hähnchen mit dem „Lack" bestreichen, weitere 20 Minu-ten schmoren, mehrmals bestreichen. Hähnchen aus der Gemüse-Soße nehmen, Soße warmstellen. Hähnchen auf einen Rost legen, mit der Fettpfanne darunter bei 220 Grad weitere 20 Minuten knu-sprig bräunen. Dabei häufig mit dem restlichen „Lack" bestreichen. Den Reis zuberei-ten. Mit Korianderblättchen garniert auf der Gemüse-Soße mit Reisrand servieren.

Asiatisches Putenragout

400 g Putenschnitzel
250 g Langkornreis
3-4 Frühlingszwiebeln
1 große, rote Paprikaschote
2-3 Aprikosen
4 El Öl
Salz, Pfeffer
1 El Speisestärke
150 g Sojasprossen
4 El Essig

¼ l (Instant-)Hühnerbrühe
3 El Sojasoße
1 Prise Zucker
Cayennepfeffer

Putenfleisch in Streifen schnei-den. Reis garen. Zwiebeln in feine Ringe schneiden. Papri-kaschote und Aprikosen in Streifen schneiden. Puten-

fleisch mit der Speisestärke bestäuben, im Öl kurz und kräftig anbraten. Paprika und Zwiebeln kurz mitbraten, Aprikosen und Sojasprossen erst zuletzt mitschmoren. Mit Essig, Brühe und Sojasoße ablöschen. Mit Salz, Pfeffer, Zucker und Cayennepfeffer abschmecken.

Ente süß-sauer

250 g Langkornreis
(im Kochbeutel)
600 g Entenbrust
Salz, Pfeffer
2 El Öl
1 El Honig
2 Gläser Fleischpfannen-Fix
„Chinesisch Süß-Sauer"

Reis garen. Entenbrust mit Salz und Pfeffer würzen. Entenbrust im Öl von beiden Seiten anbraten. Im Ofen bei 200 Grad 13-15 Minuten mit der Hautseite nach oben garen. Einige Minuten vor Ende der Garzeit mit Honig bestreichen.

Pfanne aus dem Ofen nehmen, Fleischpfannen-Fix in den Bratenfond geben, unter Rühren erhitzen. Entenbrust in Scheiben schneiden, mit Soße und Reis servieren. Nach Belieben mit Kräutern garnieren.

Petersilien-Hähnchenbrust

6 Portionen

6 Hähnchenbrustfilets
3 Bund Petersilie
3 El Crème fraîche
Salz
1 El Worcestersoße
1 Ei
2 Kohlrabi
300 g Zuckerschoten
40 g Butter
300 g Reis
¾ l Wasser oder Fleischbrühe
100 g feingehackter Spinat

Kohlrabi schälen, in schmale Streifen schneiden. Zuckerschoten waschen, Fäden abziehen. Kohlrabi in Salzwasser 7-9 Minuten blanchieren, Zuckerschoten 3-5 Minuten. In Eiswasser abschrecken. Hähnchenbrustfilets abspülen, trockentupfen. Petersilie gebündelt waschen und verlesen. Jedes Bund in Salzwasser 3 Minuten blanchieren, abschrecken. Gut trockentupfen. Von den Stielen befreien und mit der Crème fraîche pürieren. Das Ei trennen, Eigelb unterrühren, mit Salz und Worcestersoße würzen. Eiweiß zu Schnee schlagen und unter die Petersilienmasse

ziehen. Blanchiertes Gemüse getrennt auf Alufolie legen, mit Butterflöckchen besetzen, Päckchen schließen. In den Ofen bei 250 Grad schieben. ¾ l Wasser oder Brühe zum Kochen bringen. Reis zufügen, zugedeckt 18-20 Minuten garen. Hähnchenbrustfilets auf ein gefettetes Backblech legen. Mit der Petersilien-Masse bestreichen. 7 Minuten vor Ende der Reis-Garzeit in den Ofen schieben. Kurz bevor der Reis gar ist, den Spinat untermischen und 2-3 Minuten mitziehen lassen. Fleisch mit Kohlrabi und Zuckererbsen umlegt auf Tellern arrangieren. Reis dazu reichen.

Gebackene Hähnchenkeule auf indischem Reis ▷

250 g Reis (im Kochbeutel)
4 Hähnchenkeulen
1 Stück Ingwer
1 Chilischote
2 Tl Edelsüßpaprikapulver
2 El Öl
3 El Rosinen (in Wasser
eingeweicht)
100 g Cashewkerne
½ El gemahlener Kümmel
je 1 Msp. Anis, Nelkenpulver,
Zimt und Koriander
100 g Butter
400 g Möhren

1 Zwiebel
50 g brauner Zucker
½ Bund Minze

Ingwer durch eine Presse drücken, Chilischote fein hacken und mit Paprika und Öl mischen. Hähnchenkeulen damit einstreichen, 1-2 Stunden marinieren lassen. Mit Salz würzen, im Ofen bei 180 Grad ca. 30 Minuten braten. Möhren putzen, waschen und in Scheiben schneiden.

Zwiebelwürfel in der Hälfte der Butter glasig schwitzen, Zucker und Möhren dazugeben, kurz anschwitzen, ca. 200 ml Wasser zugießen, 5 Minuten bißfest dünsten. Zum Schluß die Minzeblätter untermischen. Reis garen. Cashewkerne in restlicher Butter goldbraun rösten, Gewürze dazugeben, kurz mitbraten und zusammen mit den Rosinen unter den Reis mischen.

Bratreis mit Entenbrust

250 g Langkornreis
Salz
100 ml Öl
1 Entenbrustfilet (ca. 280 g)
2 Eier
200 g frische Shiitake-Pilze
1 rote Paprikaschote
1 Porreestange (ca. 330 g)
20 g frische Ingwerwurzel
½ Bund Koriandergrün
1 Knoblauchzehe
50 ml (Instant-)Brühe
1-2 El Sojasoße
100 g TK-Erben (aufgetaut)
1 Msp. Sambal oelek

Reis garen, ausdämpfen und im Kühlschrank kalt werden lassen. Dann unter Wenden ca. 8 Minuten in 5 El Öl braten. Haut und Fleisch der Entenbrust separat in Streifen schneiden. Haut knusprig braten und abtropfen lassen. Eier mit 2 El Wasser und etwas Salz verquirlen, in 1 El Öl zu einem Omelett braten. Aufrollen und in schmale Scheiben schneiden. Pilze putzen, vom Stiel befreien und halbieren. Paprika und Porree in feine

Streifen schneiden. Ingwer reiben, Koriander grob hacken. Entenfleisch im restlichen Öl scharf anbraten, herausnehmen und warm halten. Pilze ca. 3-4 Minuten in dem Fett braten. Paprika, Porree, Ingwer und gepreßten Knoblauch dazugeben, mit Brühe und Sojasoße ablöschen. Mit dem Entenfleisch 3-5 Minuten garen. Zuletzt Erbsen, Koriander, Sambal oelek und Reis unterheben. Mit Omelett- und Entenhautstreifen garnieren.

Reis-Curry mit Putengeschnetzeltem ▷

250 g Basmati-Reis
600 g Putenbrustschnitzel
1 Dose Mandarin-Orangen
1 Dose Ananas-Stücke
20 g Butter
1-2 Tl Currypulver

Salz, Pfeffer
Petersilie zum Garnieren

Reis garen. Fleisch in Streifen schneiden. Obst abtropfen lassen, Ananassaft auffangen.

Fleisch im Fett braten. Mit Curry überstäuben. Obst und abgetropften Reis zugeben, erwärmen. Mit Salz, Pfeffer, Curry und Ananassaft abschmecken. Mit Petersilie garnieren.

Reistafel mit Putengeschnetzeltem

8 Portionen

500 g Reis (im Kochbeutel)
1 Ecke Kräuter-Schmelzkäse
125 ml Sahne
4 El gemischte Kräuter
1 kleine Dose Tomaten
3 Zwiebeln (feingehackt)
1 Knoblauchzehe
2 El Ketchup
Salz, Pfeffer, Basilikum
1 Prise Zucker
1 Tl Currypulver
2 kleine Bananen
1 gestr. Tl Instant-Brühe
2 El geröstete Mandelblättchen
20 g Butter, 2 El Öl
1 kleine Dose Ananasstücke
Ingwerpulver
Zitronensaft
1 Msp. Safran
1 kg Putenschnitzel
2-3 El Butter(schmalz)
250-300 ml Fleischbrühe
1 El rosa Pfefferkörner
1-2 Frühlingszwiebeln

Reis garen, warm stellen. Für den Kräuter-Käse-Reis den Schmelzkäse und 100 ml Sahne bei milder Hitze glattrühren. Kräuter zufügen. Einen Beutel Reis daruntermischen. Abschmecken, zugedeckt warm stellen. Für den Tomatenreis Tomaten abgießen. Zwiebel und zerdrückte Knoblauchzehe in 1 El Öl glasig dünsten. Tomaten zufügen und etwas einköcheln lassen. Ketchup und restliche Sahne unterrühren und die Soße würzen. Mit einem Beutel Reis vermischen. Abschmecken, mit Basilikum garnieren und warm stellen. Für den Bananenreis Curry in etwas warmem Wasser auflösen. Zwiebel in 1 El Öl glasig dünsten. Bananen in Scheiben schneiden, kurz anbraten. Angerührten Curry und die Instantbrühe zufügen. Alles mit einem Beutel Reis vermischen und mit den Mandeln garnieren. Ebenfalls warm stellen. Für den Ananasreis Butter erhitzen. Restliche Zwiebel darin glasig dünsten. Ananasstücke abgießen, Saft auffangen. Etwas Saft in die Pfanne geben. Mit Salz, Pfeffer, Ingwerpulver und etwas Zitronensaft würzen. Safran unterrühren. Restlichen Reis darunterheben, Ananasstücke mit dem Reis vermischen und heiß werden lassen. Abschmecken und warm stellen. Putenfleisch in dünne, mundgerechte Scheiben schneiden. Portionsweise im Schmalz braten. Bratensatz mit heißer Fleischbrühe loskochen, so daß etwas Soße entsteht. Mit Pfefferkörnern und Zwiebelringen bestreuen. Putenfleisch und die vier Reissorten miteinander servieren.

Hähnchenbrustfilet mit Paprikarahmsoße ▷

250 g Reis (im Kochbeutel)
2 Hähnchenbrustfilets à 300 g
4 El Öl
Salz, Pfeffer
¼ l Hühnerfond (a.d. Glas)
⅛ l Weißwein
150 g Crème fraîche
1 Knoblauchzehe
1 Zwiebel
4 rote Paprika
2 Scheiben Parmaschinken
1 große Tomate
½ Bund Basilikum
50 g frischger. Parmesan
1 El Semmelbrösel

1 El Senf
3 kleine Zucchini
50 g Butter
1 Zweig Thymian

Tomate überbrühen, enthäuten, vierteln. Schinken fein würfeln und mit gehacktem Basilikum, Parmesan und Semmelbröseln vermengen. Mit Salz und Pfeffer abschmecken. Zwiebel, Paprika und Knoblauch kleinschneiden, mit Hühnerfond und Weißwein ca. 15 Minuten weichkochen, pürieren und Crème fraîche unterrühren, mit Salz und Pfeffer abschmecken. Hähnchenbrustfilets halbieren, mit Salz und Pfeffer würzen, im Öl auf jeder Seite 2 Minuten braun braten. Mit Senf dünn bestreichen, die Krustenmasse darauf verteilen, unterm Grill goldbraun überbacken. Reis garen. Zucchini würfeln und in der Butter 3 Minuten bißfest dünsten, mit Thymian, Salz und Pfeffer abschmecken.

Hühnerfleisch mit Frühlingszwiebeln auf japanischem Reis

400 g Hähnchenbrustfilet
3 El Sojasoße
3 El Reiswein
Salz
2 Tl Zucker
3 Frühlingszwiebeln
3 El Öl

Für den japanischen Reis:
300 g Milchreis

Fleisch abspülen, in dünne Streifen schneiden. Sojasoße, Reiswein, 1 Prise Salz und Zucker mischen. Fleisch mit der Marinade vermengen, ca. 30 Minuten durchziehen lassen. Reis waschen, in ½ l kaltem Wasser 30 Minuten einweichen. Frühlingszwiebeln waschen, putzen, und das Weiße und Hellgrüne schräg in dünne Scheiben schneiden. Reis mit dem Einweichwasser in einen nicht zu schmalen Topf geben, mit geschlossenem Deckel zum Kochen bringen. Hitze zurückschalten, Reis 20 Minuten garen, evtl. bei geöffnetem Topfdeckel noch etwas ausdampfen lassen. In der Zwischenzeit Fleisch in einem Sieb abtropfen lassen, Marinade auffangen. Fleisch im heißen Öl kräftig anbraten, Marinade dazugießen, 2-3 Minuten unter Wenden weiterbraten. Frühlingszwiebeln dazugeben und kurz mitgaren. Hühnerfleisch auf dem Reis anrichten, sofort servieren.

Kokoshähnchen auf Reis

250 g Langkornreis (im
Kochbeutel)
1 Tl Paprikapulver
2 Kokosnüsse
400 g Hähnchenbrustfilet
2 El Öl
2 Gläser Fleischpfannen-Fix
„Karibisch"

Reis garen, mit Paprikapulver
vermischen. An der Unterseite
der Kokosnüsse Löcher einstechen, die Milch auffangen,
dann halbieren. Hähnchen-
fleisch in feine Streifen schneiden. Fleisch im Öl gut anbraten. Fleischpfannen-Fix

dazugeben, unter Rühren
erhitzen, mit Kokosmilch verfeinern. Das Geschnetzelte in
die Kokosnußhälften füllen,
mit Paprikareis servieren.

Reisring mit Geflügelleber-Ragout

250 g Langkorn- & Wildreis-
Mischung
Salz, Pfeffer
1 große Zwiebel
500 g Geflügelleber
30 g Butter(schmalz)
2 El Madeira
200 g Crème fraîche
frischer Thymian
¼ l Hühnerbrühe
2 El heller Soßenbinder
1 Apfel

3 El Öl
10 g Butter

Reis garen. Zwiebel fein würfeln, Leber putzen, in grobe
Stücke teilen. Zwiebeln im
Schmalz anschwitzen, dann
die Leber unter Wenden
anbraten. Mit Madeira ablöschen, Crème fraîche zugeben.
Etwas einkochen lassen. Mit
Salz, Pfeffer und Thymian

abschmecken. Mit der Brühe
auffüllen und mit Soßenbinder
binden. Apfel schälen, das
Kerngehäuse ausstechen, in
dünne Scheiben schneiden. In
dem Öl anbraten. Eine Reisrandform mit Öl auspinseln.
Reis mit der Butter mischen,
in die Form geben und festdrücken, dann stürzen. Das
Ragout im Reisring anrichten.
Mit Apfelringen garnieren.

Orientalische Curry-Reispfanne

300 g Hähnchenbrust
2 Zucchini (300 g)
1 Zwiebel
250 g Reis (im Kochbeutel)
Salz, Pfeffer
2 El Pinienkerne
2 El Rosinen
4 El (Sesam-)Öl
1 El Curry

Hähnchenbrust in dünne
Scheiben schneiden. Zucchini
ganz fein würfeln (in Reis-
korngröße). Zwiebel abziehen, hacken. Reis garen. Pinienkerne ohne Fett leicht
anrösten, beiseitestellen.
Hähnchenfleisch im Öl gut
anbraten, aus der Pfanne neh-

men. Zwiebeln in Öl andünsten, Zucchiniwürfel, Rosinen,
Salz und Pfeffer zugeben,
unter Rühren 7 Minuten garen.
Gegarten Reis und Curry
untermengen. Hähnchen-
fleisch unterheben. Mit Pinienkernen garniert sofort servieren.

Hähnchenkeulen mit Kürbis an Reis

▷

250 g Naturreis
1 Stange Porree
200 g Wirsing
2 Möhren
1 Zwiebel, 4 El Öl
8 Hähnchenunterkeulen
Salz, Pfeffer
2 El Butter
⅛ l Fleischbrühe
2 kleine Äpfel
300 g Kürbisfleisch (a.d. Glas)
brauner Zucker
2 Gläser Fleischpfannen-Fix
„Indisch Curry"
2 El Kürbiskerne
2 El gemischte, geh. Kräuter

Reis garen. Porree, Wirsing und Möhren putzen, waschen, in schmale Streifen bzw. Stifte schneiden. Zwiebel in Scheiben schneiden. Hähnchenunterkeulen mit Salz und Pfeffer würzen, in 3 El Öl und 1 El Butter rundherum knusprig anbraten. Zugedeckt 30 Minuten garen, dabei mehrmals wenden. Inzwischen das vorbereitete Gemüse im restlichen Öl mit Butter 5 Minuten dünsten. Fleischbrühe angießen, zugedeckt 5 Minuten schmoren. Äpfel halbieren, Kerngehäuse entfernen und würfeln. Kürbisfleisch abtropfen lassen und mit den Apfelwürfeln 5 Minuten vor Ende der Garzeit zum Gemüse geben. Mit Salz, Pfeffer und braunem Zucker pikant abschmecken. Fleischpfannen-Fix erhitzen. Kürbiskerne ohne Fett anrösten. Reis mit Kräutern vermengen, mit Hähnchenunterkeulen, Fleischpfannen-Fix und das mit Kürbiskernen bestreute Gemüse auf einer Platte angerichtet servieren.

Körniges Putenreisfleisch

1 Tl Salz
250 g 7-Corn-Equilinia (Reisspezialität)
600 g Putenfleisch
30 g Mehl
2 El Öl
Pfeffer
500 g Champignons
1 El Zitronensaft
5 Schalotten
2 Stangen Porree
1 Knoblauchzehe
2 El Butter
1 Bund Petersilie
⅛ l (Instant-)Brühe

Knapp ¾ l Wasser mit 1 Tl Salz zum Kochen bringen, Reis zugedeckt darin 30-35 Minuten garen. Putenfleisch in 1 cm große Würfel schneiden, in Mehl wenden, im Öl von allen Seiten anbraten. Salzen, pfeffern, herausnehmen und im Ofen bei 50 Grad warm stellen. Champignons putzen, waschen, in Scheiben schneiden und mit Zitronensaft beträufeln. Schalotten abziehen, längs vierteln. Porree putzen, waschen, in dünne Ringe schneiden. 1 El Fett zergehen lassen, Pilze darin anbraten, herausnehmen und zugedeckt warm stellen. Übriges Fett erhitzen, Schalotten und Porreeringe ca. 5 Minuten dünsten, Knoblauchzehe dazupressen. Petersilie waschen, trockentupfen. Etwas zum Garnieren beiseitelegen, Rest klein hacken. Zusammen mit der Brühe zum Gemüse geben, etwas einköcheln lassen. Mit Salz und Pfeffer abschmecken. Reis in eine Reisringfom füllen, auf eine Platte stürzen und in die Mitte Putenfleisch und Gemüse geben. Mit Petersilie garnieren.

Hähnchenbrustfilet amerikanische Art ▷

4 Hähnchenbrustfilets
6 El Öl
1 Gemüsezwiebel
je 1 rote und grüne Paprikaschote
1 kleine Dose Mais
1 kleine Dose geschälte
Tomaten
200 g Langkornreis
1 El Curry
Salz, Pfeffer

3 Knoblauchzehen
2 Chilischoten
½ l (Instant-)Brühe

Hähnchenbrustfilet waschen, trockentupfen, in Scheiben schneiden, im Öl anbraten. Zwiebel in Ringe, Paprikaschoten in Streifen schneiden. Mais abtropfen lassen, Mit Tomaten und Reis zum Fleisch geben. Curry zugeben, mit Salz und Pfeffer kräftig abschmecken und anschmoren. Knoblauch abziehen und zerdrücken. Chilischote halbieren, entkernen, fein hacken. Knoblauch und Chili in die Pfanne geben, Brühe angießen, 15-20 Minuten leicht köcheln lasssen. Nochmals abschmecken und servieren.

Hähnchenkeule mit Orangen

4 Hähnchenkeulen
Salz, Pfeffer
5 unbehandelte Orangen
⅛ l Weißwein
1 El Orangenlikör
1 Möhre
2 dünne Stangen Porree
1 Zwiebel
2 El Butter
⅛ l (Instant-)Hühnerbrühe
200 g Langkorn- & Wildreis-
Mischung
1-2 El Honig
1 Bund Petersilie
1-2 Tl Orangenmarmelade

Fleisch abspülen, trockentupfen, salzen, pfeffern. 2 Stunden in eine Marinade aus dem Saft einer Orange, 2 El Wein und 1 El Likör legen. Möhre und Lauch putzen und ½ cm groß würfeln. Zwiebel fein würfen, in 1 El Butter anschwitzen. Möhre und Lauch zugeben, salzen, pfeffern. Restlichen Wein, Saft einer weiteren Orange sowie Brühe zugießen, Gemüse darin bißfest garen. Reis kochen. Fleisch aus der Marinade nehmen, abtupfen, auf ein gefettetes Backblech legen. 30 Minuten im Ofen bei 200 Grad goldgelb braten, mit Honig bepinseln, weitere 5 Minuten braten. Übrige Orangen schälen, in Scheiben teilen, diese halbieren. Petersilie hacken. Marmelade unter das Gemüse rühren, mit Salz und Pfeffer abschmecken. Orangenscheiben zugeben, erwärmen. Petersilie unter das Gemüse heben und sofort servieren.

Ananas-Hähnchen-Spieße mit Reis ▷

2 Portionen

125 g Langkornreis (im Kochbeutel), 3 El Öl
300 g Hähnchenbrustfilet
Salz, Pfeffer
1 kleine Dose Ananasstücke
1 Banane
Zitronensaft
10 Kirschtomaten
Currypulver

1 Glas Fleischpfannen-Fix
„Indisch Curry"

Reis garen. Hähnchenbrustfilet
waschen, trockentupfen, in
nicht zu kleine Stücke schneiden. Mit Salz und Pfeffer würzen, im Öl anbraten. Ananas
abtropfen lassen, Banane in
1 cm dicke Scheiben schneiden, mit Zitronensaft beträu-

feln, Kirschtomaten waschen.
Die Zutaten abwechselnd auf
vier Schaschlikspieße stecken
und mit Curry würzen. Spieße
in der Pfanne von allen Seiten
kurz erhitzen. Fleischpfannen-
Fix erwärmen, mit den
Spießen anrichten. Reis dazugeben und mit restlichen
Kirschtomaten garniert servieren.

Putenbrust in Pfirsichsoße

1-2 Bund Frühlingszwiebeln
4 El Öl
250 g Langkornreis
500 g Putenbrust
1 El Sojasoße
1 Zwiebel
1 El Currypulver
Salz, Pfeffer
⅛ l Weißwein
¼ l Brühe
175 g Pfirsiche
1 El Zitronensaft
2 El Crème fraîche

Frühlingszwiebeln putzen,
schräg in 2 cm lange Stücke
schneiden, einige zum Garnieren beiseitelegen. Übrige in
2 El Öl andünsten, mit 5-6 El
Wasser gar dämpfen. Reis
garen. Putenbrust in 3 cm
große Würfel schneiden. Mit
Sojasoße marinieren, Zwiebel
abziehen, fein würfeln. Im Öl
andünsten, an den Pfannen-
rand schieben, Fleisch anbraten. Mit Curry, Salz und Pfeffer

würzen, mit Wein und Brühe
ablöschen. Etwas einköcheln
lassen. Pfirsiche brühen,
abziehen, entsteinen. Fruchtfleisch mit Zitronensaft pürieren. Unter das Putenfleisch
mischen, mit Crème fraîche
abschmecken. Reis abgießen,
abtropfen lassen, Frühlingszwiebeln untermengen, salzen
und pfeffern. Mit dem Putenfleisch anrichten. Mit Frühlingszwiebeln garnieren.

Perlhuhn in Limonensoße mit Reis   ▷

1 Perlhuhn
Salz
Pfeffer
3 El Öl
10 g Butter
½ l Weißwein
200 g Langkorn- & Wildreis-
Mischung
3 El Limonensaft
2-3 El Sahne
1-2 El Mehl
Muskat

Perlhuhn waschen, trocken-tupfen, mit Salz und Pfeffer innen und außen einreiben. Das Huhn in einem Bräter in Öl von allen Seiten anbraten. Butter zugeben, schmelzen lassen. ¼ l Wein zugießen, im Ofen bei 220 Grad ca. 45 Minuten garen, dabei wieder-holt mit Bratensaft über-gießen. Reis garen. 2 El Limo-nensaft und restlichen Wein in den Bratenfond rühren, das Perlhuhn weitere 10-15 Minu-ten braten. Warm stellen. Rest-lichen Limonensaft sowie das mit Sahne verrührte Mehl in den Bratenfond gießen, kurz aufkochen, die Soße mit Salz, Pfeffer und Muskat abschmecken. Mit Salatgarni-tur und Limonenscheiben gar-niert zusammen mit dem Reis servieren.

Hähnchenbrust mit Rhabarber-Chutney

4 Hähnchenbrüste (oder
8 Filets)
6 El Öl
4 Orangen
Salz, Pfeffer
2 kleine Zwiebeln
150 g Rhabarber
1-2 El Orangenmarmelade
1 Tl Zucker
1-2 El Sherry
250 g Reis
½ l (Instant-)Gemüsebrühe
1 Bund Petersilie

Hähnchenbrüste abspülen, trockentupfen. Aus 4 El Öl, Saft einer Orange, Salz und Pfeffer eine Marinade rühren. Fleisch darin mindestens 2 Stunden marinieren. Zwie-beln fein würfeln. Die Hälfte in 1 El heißem Öl dünsten. Orangen dick schälen. Frucht-filets auslösen. Den Rest aus-drücken. Rhabarber waschen, putzen und in kleine Stücke teilen. Marmelade unter die gedünsteten Zwiebeln rühren. Obst und Orangensaft dazuge-ben, 10 Minuten köcheln. Mit Zucker, Sherry und Pfeffer abschmecken. Restliche Zwie-beln in Öl dünsten, Reis dazu-geben, mit Brühe auffüllen, weich kochen. Fleisch aus der Marinade nehmen, abtupfen. Marinade erhitzen, Fleisch auf beiden Seite ca. 3 Minuten kräftig anbraten. Zugedeckt weitere 10 Minuten garen, mit Salz und Pfeffer würzen. Unter den Reis die gehackte Petersi-lie mischen, zum Fleisch und Chutney servieren.

Putengeschnetzeltes mit Reis-Terrine indische Art

▷

Für die Reis-Terrine:

2 Pck. „Indische
Reisspezialität"
1 Möhre
250 g Broccoli
1 kleine Sellerieknolle
½ Bund Petersilie
2 Eier
Pfeffer, Salz
1 El Butter

**Für das Puten-
geschnetzelte:**

400 g Putenschnitzel
2 Äpfel
1 Zwiebel
1 Knoblauchzehe
1 kleine Ingwerknolle
2 Tl flüssiger Honig
2 Tl Essig
½ Tl Paprikapulver
4 El (Instant-)
Hühnerbrühe
4 El Sahne
150 g Broccoli
4 Cocktailtomaten

Reis garen. Möhre in Scheiben schneiden, Broccoli in Röschen teilen. Sellerie schälen und kleinschneiden. Gemüse ca. 5 Minuten blanchieren. Petersilie fein hacken. Eier trennen, Reis mit Eigelb vermischen, mit Salz und Pfeffer würzen, Petersilie hinzugeben. Eiweiß steif schlagen, unter den Reis ziehen. Eine Kastenform fetten, mit Pergamentpapier auslegen, dieses ebenfalls einfetten. Schichtweise abwechselnd Gemüse und Reismasse einfüllen, dabei mit Reis abschließen. Terrine mit gefettetem Pergamentpapier abdecken, Form in die Fettpfanne des Ofens stellen. Fettpfanne mit soviel heißem Wasser füllen, bis die Form zur Hälfte im Wasser steht. Terrine im Ofen bei 200 Grad ca. 2 Stunden garen. Aus dem Ofen nehmen, 10 Minuten in der Form abkühlen lassen, auf eine Platte stürzen. Putenschnitzel grob würfeln. Äpfel waschen, in Spalten schneiden. Zwiebel und Knoblauch abziehen, kleinschneiden. Ingwer schälen, fein hacken. Putenfleisch mit Apfelspalten in eine Schüssel geben, mit Salz und Pfeffer würzen. Zwiebel, Knoblauch, Ingwer, Honig, Essig und Paprikapulver hinzufügen. Putengeschnetzeltes auf 4 Stücke Alufolie verteilen. Brühe und Sahne mischen, je 2 EL auf jede Portion geben. Folien gut verschließen, im Ofen bei 180 Grad 15 Minuten garen. Broccoli in kleine Röschen teilen, kurz blanchieren. Reis-Terrine in Scheiben schneiden, mit Putengeschnetzeltem, garniert mit Cocktailtomaten, servieren. Broccoliröschen auf Teller anrichten.

Putenspieße Szechuan

▷

250 g Langkornreis (im
Kochbeutel)
16 Kirschtomaten
16 Maiskölbchen (a.d. Dose)
6 Scheiben Ananas
(a.d. Dose)
400 g Putenbrustfilet
Salz, Pfeffer
2 El Öl
2 Gläser Fleischpfannen-Fix
„Chinesisch Szechuan"
100 g Schmelzkäse
½ Tl Currypulver
Cayennepfeffer

Reis garen. Kirschtomaten waschen, Stielansätze entfernen. Maiskölbchen und Ananasscheiben abtropfen lassen, vier Ananasscheiben vierteln, die restlichen Scheiben in kleine Stücke schneiden, beiseitelegen. Putenbrustfilet in mundgerechte Stücke schneiden, mit Salz und Pfeffer würzen. Putenstücke, Gemüse und Ananasviertel abwechselnd auf acht Spieße stecken, im Öl von allen Seiten ca.

4 Minuten braten. Fleischpfannen-Fix in einem Topf unter Rühren erhitzen, warm stellen. Gegarten Reis mit Schmelzkäse und Ananasstückchen vermengen, mit Curry und Cayennepfeffer würzen. Mit Hilfe von zwei Teelöffeln die Reismasse zu Bällchen formen. Spieße mit etwas Curry bestreut, mit Fleischpfannen-Fix auf Tellern anrichten, mit Reisbällchen servieren.

Hähnchenbrust in Curryrahm

3 Hähnchenbrüste (à 200 g)
2 Knoblauchzehen
1 El Zitronensaft
1 El Sojasoße
Salz, Pfeffer
3 El Öl
250 g Reis (im Kochbeutel)
1 Becher Sauerrahm
2 Tl Currypulver
Schale einer unbehandelten
Orange
1 Frühlingszwiebel
100 g geröstete Kokosraspel
100 g Rosinen

100 g geröstete Erdnüsse
100 g geschälte Pistazien
100 g rote Zwiebeln (fein
gewürfelt)

Hähnchenbrüste vom Knochen lösen und mit einer Mischung aus zerdrückten Knoblauchzehen, Zitronensaft, Sojasoße und Pfeffer einreiben. 10 Minuten ziehen lassen. Hähnchenfleisch im Öl von beiden Seiten goldbraun braten. Aus der Pfanne neh-

men, warm stellen. Reis garen. Inzwischen den Bratensatz mit Sauerrahm ablöschen. Curry hineinrühren. Soße mit Orangensaft abschmecken. Den Reis in vier Förmchen füllen, andrücken und auf Teller stürzen. Fleisch in Scheiben mit dem Curryrahm auf die Teller verteilen. Mit feinen Streifen von Orangenschalen und Frühlingszwiebel dekorieren. In separaten Schalen die restlichen Zutaten dazustellen.

Gefüllter Fasan mit französischem Reis

1 küchenfertiger Fasan
(ca. 1,2 kg)
2 Pck. „Französische
Reisspezialität"
50 g Sultaninen
4 El Cognac
Salz
Pfeffer
150 g Walnußkerne
1 Ei
1 Möhre
1 Zwiebel
1 Zweig frischer Thymian
½ Bund Petersilie
1 Lorbeerblatt
50 g Butter
200 g grüne Bohnen (TK)

Fasan waschen, trockentupfen. Herz und Leber waschen, fein hacken. Reis garen. Sultaninen ca. 10 Minuten in Cognac einweichen, abtropfen lassen, Cognac auffangen. Die Innereien mit Salz und Pfeffer würzen. Sultaninen, Walnüsse, ein Viertel des gekochten Reis und Ei vermengen. Fasan damit füllen, zunähen, mit Salz und Pfeffer würzen. Möhre schälen, Zwiebel abziehen, in Stücke schneiden. Kräuter und Lorbeerblatt zusammenbinden. Fasan, Möhren- und Zwiebelstücke sowie Kräuterbündel im Ofen bei 200 Grad ca. 10 Minuten braten, zugedeckt dann weitere 60 Minuten garen. In der Zwischenzeit Bohnen in kochendem Salzwasser 10 Minuten garen. Fasan aus der Form nehmen, warm stellen. Cognac in den Bratenfond geben, köcheln lassen. Restlichen Reis in 4 gefettete Pastetenförmchen drücken, im Ofen bei 180 Grad 5 Minuten erhitzen. Fasan tranchieren. Reis auf Teller stürzen und mit Fasan und Füllung, grünen Bohnen und Soße anrichten.

Reis-Currytopf mit Trauben

1 Zwiebel
2 El Öl
200 g Langkornreis
½ l (Instant-)Hühnerbrühe
1 Bund Lauchzwiebeln
250 g kleine, blaue Trauben
600 g Hähnchenbrust
1 El Currypulver
⅛ l Sahne

Zwiebel fein würfeln, zusammen mit dem Reis in 1 El Öl glasig dünsten, mit Brühe angießen und 20 Minuten garen. Lauchzwiebeln putzen, waschen, abtropfen lassen. Weiße Teile fein würfeln, grüne Teile in Ringe schneiden. Trauben waschen, halbieren und entkernen. Hähnchenbrust abspülen, trockentupfen, in 1,5 cm große Würfel schneiden. Im restlichen Öl portionsweise scharf anbraten. Lauchzwiebelwürfel zugeben und mitbraten. Fleisch mit Curry bestäuben, kurz weiterbraten. Sahne angießen, 2 Minuten köcheln lassen. Trauben und Zwiebelringe dazugeben und darin erhitzen. Gegarten Reis unter die Hähnchenpfanne mischen, mit Salz und Pfeffer abschmecken.

Gefüllte Babypute

4 Zwiebeln
500 g Bratwurstmasse
1 Tl getrockneter Thymian
3 El Madeira oder Sherry
⅛ l Sahne
Salz, Pfeffer
1 Babypute (ca. 2,5 kg)
75 g Butter
200 g Langkorn- & Wildreis-Mischung
3 El Sahne
1 El Mehl

Zwiebeln abziehen, die Hälfte fein hacken. Bratwurstmasse, Thymian, Madeira oder Sherry und Sahne vermischen. Mit Salz und Pfeffer abschmecken. Pute salzen und pfeffern, mit der Farce füllen, zustecken. Pute in einem Schmortopf in Butter von allen Seiten anbraten. Restliche Zwiebeln grob würfeln und zugeben. Im Ofen bei 200 Grad ca. 2 Stunden garen. Mehrmals mit dem Bratenfond begießen. Reis garen. Bratenfond durch ein Sieb in einen Topf gießen, aufkochen, mit in Sahne angerührtem Mehl binden. Pute zerteilen und mit der Soße zum Reis servieren.

Paprikahuhn mit Balkanreis

1 großes Brathuhn
(ca. 1,2 kg)
2 El Paprika- oder Tomatenmark
2 El Edelsüßpaprikapulver
3 El Öl
Salz, Pfeffer
250 g Reis
(im Kochbeutel)
1 Zwiebel
2 El Butter
300 g (TK-)Balkangemüse

Brathuhn abspülen, trockentupfen, die Haut rundum etwas ablösen. Eine Paste aus Paprikamark, 1 El Paprikapulver, 2 El Öl, Salz und Pfeffer zubereiten, vorsichtig zwischen Haut und Hühnerfleisch drücken. Außen mit Salz und Pfeffer würzen. Im Ofen bei 200 Grad 45 Minuten braten, nach und nach etwas Wasser dazugeben. Reis kochen, gut abtropfen lassen. Zwiebel hacken, in Butter andünsten. Gemüse hinzufügen, Reis unterheben, evtl. etwas Brühe angießen. Mit Salz und Pfeffer abschmecken. Das Huhn mit restlichem Öl bestreichen, mit Paprikapulver bestäuben. Einige Minuten nachbraten lassen, aus dem Ofen nehmen und portionieren. Die Soße entfetten und abschmecken.

Hähnchenbrustfilet mit Zitronensoße ▷

200 g Langkorn- & Wildreis-
Mischung
1 Ei
Salz, Pfeffer
½ Tl abgeriebene Schale einer
unbehandelten Zitrone
3 Hähnchenbrustfilets
75 g Mandelblättchen
50 g Butter

Für die Soße:
2 Schalotten
⅛ l Weißwein
1 El Zitronensaft
je 1 El gehackter Estragon
und Kerbel
3 Eigelb
150 g Butter

Gemüse:
Möhren
Zuckerschoten
Staudensellerie

Reis garen. Ei verquirlen, mit
Salz, Peffer und Zitronenschale würzen. Hähnchenbrustfilets waschen, trockentupfen,
erst im verschlagenen Ei, dann
in Mandelblättchen wenden,
in geschmolzener Butter bei
geringer Hitze von beiden Seiten goldgelb braten. Für die
Soße Schalotten abziehen, fein
hacken. Wein mit 4 El Wasser,
Zitronensaft, Schalotten, Estragon und Kerbel in einen Topf

geben, so lange kochen, bis
die Flüssigkeit auf zwei Eßlöffel reduziert ist, durch ein Sieb
gießen, mit Eigelb vermischen,
in eine Schüssel füllen und im
kochenden Wasserbad unter
Rühren Butterflöckchen untermischen, bis eine dicke, cre-
mige Soße entstanden ist. Mit
Salz und Pfeffer nach Belieben
würzen. Hähnchenfilets mit
Soße auf Tellern gleichmäßig
verteilen. Reis und nach
Wunsch in Butter geschwenk-
tes, zartes Gemüse dazu
anrichten. Mit Zitronenscha-
lenstreifen und Kerbel garnieren.

Scharfer Reisauflauf mit Hähnchenbrust

1 kleine Dose Mais
2 rote Paprikaschoten
1 Chilischote
300 g Langkornreis
600 ml (Instant-)Hühner-
brühe
300 g Hähnchenbrustfilet
2-3 El Öl
Salz, Pfeffer
Edelsüßpaprikapulver
100 g Appenzeller Käse
1 Bund Schnittlauch
3 Eier
150 g Crème fraîche

Mais abtropfen lassen. Paprikaschoten waschen, Kerne
und Häutchen entfernen,
Schoten klein würfeln. Chilischote waschen, aufschlitzen,
entkernen, sehr fein hacken,
Reis in der Brühe ca. 10 Minuten garen. Hähnchenfleisch
abbrausen, trockentupfen. In
schmale Streifen schneiden. in
Öl kurz von allen Seiten anbraten. Mit Salz, Pfeffer und
Paprikapulver würzen. Käse
reiben. Schnittlauch in Röll-

chen schneiden. Eier mit Crème fraîche glattrühren, 60 g
Käse unterrühren. Abgekühlten Reis mit den Paprikaschoten, Chilischote, Mais, Schnittlauch und Fleisch vermengen.
Mit Salz und Pfeffer kräftig abschmecken. Zwei Drittel der
Eier-Creme unterziehen. In
eine gefettete hohe Auflaufform füllen. Restliche Creme
und Käse darübergeben. Im
Ofen bei 200 Grad ca. 25 Minuten backen.

Putengulasch mit Kapuzinerkresse und Reis ▷

600 g Putengulasch
2 gelbe Paprikaschoten
2 El Butter
1 ½ Tl Currypulver
½ Tl Paprikapulver
Salz
grober Pfeffer
½ Tasse Weißwein
1 Bund Kapuzinerkresse
100 ml Essig
½ Tl Zucker
200 g Langkorn- & Wildreis-Mischung
1 El Petersilie

Putengulasch waschen, trockentupfen. Paprikaschoten in Streifen schneiden. Das Fleisch in 1 El Butter rundherum anbraten. Paprikastreifen zugeben, mit Curry- und Paprikapulver, Salz und grobem Pfeffer abschmecken. Wein angießen, ca. 15 Minuten garen. Inzwischen Kapuzinerkresse verlesen, vorsichtig waschen. Blätter und Blüten abzupfen, beiseite stellen. Knospen ebenfalls abzupfen.

Essig mit ebensoviel Wasser, etwas Salz und Zucker aufkochen, die Knospen darin 1-2 Minuten kochen, in der Flüssigkeit abkühlen lassen. Zwei Minuten vor Ende der Garzeit Blätter, Blüten und Knospen zum Putengulasch geben. Den Reis garen. Die gehackte Petersilie unter den gegarten Reis geben. Das Putengulasch mit frischen Kresseblüten garniert mit dem Reis servieren.

Chinapfanne mit Putenfleisch

2 Putenschnitzel
2 Tl Speisestärke
1 große Stange Porree
2 rote Paprikaschoten
Salz, Pfeffer
100 g Sojasprossen (a.d. Glas)
1 Glas Maiskölbchen
250 g Langkornreis
3 El Öl
2 Tl Currypulver
200 ml (Instant-)Hühnerbrühe oder -fond
3 El Zitronensaft
1-2 El Sojasoße

Schnitzel abspülen, trockentupfen, in 2 cm breite Streifen schneiden. Mit Speisestärke vermengen. Porree schräg in dünne Ringe schneiden, kurz in kochendes Salzwasser tauchen. Paprika in schmale, kurze Streifen schneiden. Sprossen und Maiskölbchen abtropfen lassen. Reis garen. Fleisch portionsweise in 2 El Öl in einer großen Pfanne oder im Wok rundherum anbraten. Mit Curry, Salz, Pfeffer würzen. Herausnehmen, warm halten. Paprika im restlichen Öl und etwas Geflügelfond 3 Minuten garen, dann Porree und Maiskölbchen zugeben, weitere 1-2 Minuten unter Rühren braten. Mit Salz, Pfeffer und Zitronensaft abschmecken. Fleisch und Sprossen unter das Gemüse heben. Nochmals erhitzen, mit Sojasoße und Curry pikant abschmecken. Mit dem Reis servieren.

Putenfilet mit Essigbutter

1 Portion

125 g Langkorn- & Wildreis-
Mischung
200 g Putenbrustfilet
Salz, Pfeffer
1 Tl Speisestärke
50 g Butter
1 rote Zwiebel
3 El Balsamico
1 Tl Johannisbeergelee

Reis garen. Fleisch in dünne Scheiben schneiden, salzen, pfeffern und mit Speisestärke bestäuben. In 20 g Butter kräftig anbraten, in Folie gewickelt warm stellen. Zwiebel fein würfeln und im Fett andünsten. Dann in einen kleinen Topf umfüllen, Essig zugeben und einkochen lassen. Johannisbeergelee einrühren, unter ständigem Rühren mit dem Schneebesen restliche Butter in kleinen Stücken unterziehen. Soße salzen und zum Fleisch mit Reis servieren.

Tomatenreis mit Hähnchenbrust

4 Hähnchenfilets
Schale einer halben unbehandelten Zitrone
1 Tl gerebelter Thymian
Salz, Pfeffer
2 El Öl, 1 Zwiebel
4 dünne Scheiben durchwachsener Räucherspeck
2 El Butter
200 g Reis
½ l Hühnerbrühe

200 g Tomatenpüree
1 Tomate
Thymian zum Garnieren

Hähnchenfilets mit abgeriebener Zitronenschale, Thymian, Salz und Pfeffer von beiden Seiten würzen. Im Öl beidseitig anbraten. Danach mit je einer Speckscheibe umwickeln. Zwiebel würfeln. In Butter glasig dünsten. Reis zufügen und unter Rühren mitrösten. Hühnerbrühe mit dem Tomatenpüree erhitzen und zum Reis gießen. Zusammen aufkochen lassen, zugedeckt 20 Minuten garen. Hähnchenfilets auflegen und 10 Minuten zusammen weiter dünsten. Mit Tomatenscheiben und Thymian anrichten.

Reis mit jeglicher Art von Fleisch

Koreanische Schweinerippchen ▷

30 g frischer Ingwer
1 Knoblauchzehe
4 El Sesamöl
4 El Sojasoße
½ Tl Sambal oelek
3 El Sesamsamen
1 kg Schweinerippchen (in kleine Stücke geteilt)
15 g Schwarze Pilze
400 g Brokkoli
4 Frühlingszwiebeln
2 Chilischoten
Salz
1 Msp. Chinesische 5-Gewürzmischung
250 g Langkornreis
½ Tl Currypulver

Ingwer schälen, Knoblauch abziehen, fein hacken, mit je 1 El Sesamöl, Sojasoße, Sambal oelek und Sesamsamen zu einer Marinade verrühren. Rippchen waschen, trockentupfen, einzeln in der Marinade wenden, eine Stunde im Kühlschrank ziehen lassen. Inzwischen Schwarze Pilze in lauwarmem Wasser einweichen, Brokkoli waschen, putzen, in kleine Röschen teilen. Frühlingszwiebeln waschen, putzen und mit den Chilischoten in feine Ringe schneiden. Brokkoli fünf Minuten blanchieren. Restliches Sesamöl in einem Wok erhitzen, Rippchen hineingeben, anbraten, dann mit ca. ⅛ l Wasser ablöschen und unter Rühren 30 Minuten köcheln lassen. Gemüse und restliche Sesamsamen dazugeben, mit restlicher Sojasoße und Gewürzmischung abschmecken und ca. 20 Minuten schmoren lassen. Reis garen, mit Curry würzen und dazu reichen.

Kalbskoteletts mit Ratatouille (Abb. S.119)

4 Tomaten
je 1 rote und grüne Paprikaschote
4 Zwiebeln
3 Knoblauchzehen
3 El Butter
Salz, Pfeffer
⅛ l Brühe
200 g Langkorn- & Wildreis-Mischung
4 Kalbskoteletts
2 El Calvados

3 El Tomatenmark
125 ml Sahne

Für die Ratatouille Tomaten waschen, Paprikaschoten halbieren, entkernen und waschen. Zwiebeln und Knoblauchzehen abziehen, alles in mundgerechte Stücke zerteilen, Knoblauch zerdrücken, zusammen in 1 El Butter dünsten, mit Salz und Pfeffer würzen. Brühe angießen, 10 Minuten kochen lassen. Reis garen. Koteletts mit Salz und Pfeffer würzen, in restlicher Butter von jeder Seite 4 Minuten braten. Bratensatz mit Calvados ablöschen, Tomatenmark einrühren, aufkochen, Sahne angießen, mit Salz und Pfeffer abschmecken. Soße zu den Koteletts mit Reis und Ratatouille servieren.

Lammspieße im Reisbett

▷

750 g mageres Lammfleisch
10 Scheiben durchwachsener
Speck
10 Schalotten
4 Knoblauchzehen
Saft und Schale einer unbehandelten Orange
3 El flüssiger Honig
6 El Sojasoße
200 g Langkorn- & Wildreis-
Mischung
10 große Champignons
50 g Kräuterbutter

Fleisch waschen, trockentupfen. Speck in mundgerechte
Stücke, Fleisch in Würfel
schneiden, Schalotten abziehen, mit Speckscheiben und
Fleischwürfeln abwechselnd
auf Spieße stecken. Knob-
lauchzehen abziehen und zerdrücken. Schale der Orange
abreiben, Saft auspressen.
Schale mit Saft, Knoblauch,
Honig und Sojasoße ver-
rühren, Spieße damit bestreichen, ca. vier Stunden marinieren. Spieße unterm Grill
von allen Seiten knusprig

braun braten. Reis garen.
Champignons waschen, put-
zen. Stiele herausdrehen und
kleinschneiden, Stiele und
Reis in der Kräuterbutter
gründlich andünsten. Cham-
pignonköpfe mit dem Kopf
nach unten in eine gefettete
Form setzen, Reis hineinfüllen,
übrigen Reis darum verteilen,
die gebratenen Spieße darauf
legen. Im Ofen bei 175 Grad
10-15 Minuten backen. Mit
Orangenstreifen und Salat-
garnitur garniert sofort servieren.

Zucchiniklößchen in Zitronensoße

400 g Rinderhack
2 Zwiebeln
150 g Speisequark
1 El Senf
1-2 El Sojasoße
Salz, Pfeffer
Cayennepfeffer
600 g Zucchini
5-6 El Semmelbrösel
3 El Öl, 250 g Reis
¾ l Brühe
1 kleine Dose Maiskörner
1-2 Tl Mehl
1 unbehandelte Zitrone
3-4 El Sahne
Fett zum Braten

Aus Hackfleisch, einer fein
gehackten Zwiebel, Quark,
Senf, Sojasoße, Salz, Pfeffer
und Cayennepfeffer einen
Fleischteig kneten. Zucchini
putzen, ¾ davon in sehr feine
Streifen schneiden oder grob
raffeln und unter den Fleischteig kneten. 2-3 El Semmelbrösel untermengen. Aus dem
Teig kleine Bällchen formen,
ruhen lassen. Zwiebel hacken,
in 2 El Öl andünsten. Reis
zufügen, glasig rösten. Mit
500 ml Brühe zugedeckt bei
niedriger Hitze garen. Mais

abgießen, unter den Reis
heben, abschmecken. Übrige
Zucchini in sehr feine Streifen
schneiden, im Öl andünsten.
Mit Mehl bestäuben und mit
restlicher Brühe garen. Mit
Zitronenschale und 3-4 El
Zitronensaft, Sahne, Salz und
Pfeffer abschmecken. Fleisch-
bällchen in Semmelbröseln
wenden und halb schwim-
mend im heißen Fett aus-
backen. Mit der Zitronen-
Zucchini-Soße und Reis
anrichten und sofort ser-
vieren.

Lammcurry

▷

500 g Lammschulter
(ohne Knochen)
Salz, Pfeffer
2 Zweige Zitronenmelisse
3 Knoblauchzehen
1 kleine rote Zwiebel
Schale je einer halben unbehandelten Limette und
Orange
1 El Basilikumblättchen
2 El Erdnußöl
300 g Kokoscreme (a.d. Dose)
2 El Currypulver
100 ml Hühnerbrühe
1 Bund Frühlingszwiebeln
3 Orangen
1 Mango
2 El Mehl
250 ml Öl
200 g Basmati- & Thai-Reis

Reis garen. Fleisch waschen, trockentupfen, in 1 cm große Würfel schneiden. Mit Salz und Pfeffer würzen. Zitronenmelisse waschen, zwei Knoblauchzehen abziehen und alles fein hacken. Mit dem Fleisch vermischen. Für die Soße Zwiebel und restliche Knoblauchzehe fein hacken. Die Hälfte der Limetten- und Orangenschale fein reiben, den Rest mit den Basilikumblättern in schmale Streifen schneiden. Zwiebel- und Knoblauchstückchen im Erdnußöl andünsten. Kokoscreme, Curry und Geflügelbrühe angießen, erhitzen. Zitronen- und Orangenschale und Basilikum dazugeben, mit Salz und Pfeffer abschmecken. Frühlingszwiebeln putzen, in 3 cm lange Stücke schneiden. Orangen so schälen, daß das Weiße mit entfernt wird, die Filets aus den Spalten herausschneiden. Mango ebenfalls schälen, in schmale Spalten schneiden. Frühlingszwiebeln in etwas Öl kurz andünsten, mit dem Obst in die Soße geben. Fleisch mit Mehl bestäuben, im Öl portionsweise fritieren und abtropfen lassen. Fritiertes Fleisch mit der Soße und dem Obst vermischen und mit dem Reis anrichten. Mit Zitronen- und Orangenschalenstreifen dekoriert servieren.

Schnitzel mit Zwiebel-Paprika-Gemüse

4 Schweineschnitzel
6 Zwiebeln
je 1 rote, grüne und gelbe
Paprikaschote
250 g Reis (im Kochbeutel)
3 El Butter
Salz, Pfeffer
Anispulver
2 El Öl
1-2 El Zitronensaft

Fleisch waschen, trockentupfen. Zwiebel abziehen, vierteln. Paprikaschoten halbieren, Kerne und Trennhäutchen entfernen, schälen und in 2 cm große Würfel schneiden. Reis garen. Gemüse in 2 El Butter ca. 8 Minuten bißfest dünsten. Mit Salz, Pfeffer und Anis abschmecken. Schnitzel im Öl auf jeder Seite 5 Minuten braten, würzen. Aus der Pfanne nehmen und warm stellen. Bratensatz mit Zitronensaft und 100 ml Wasser losköcheln, salzen, pfeffern. Reis mit restlicher Butter vermischen. Fleisch mit etwas Soße, Gemüse und Reis servieren.

Lammfilet auf französische Art

2 Portionen

1 Zucchini, 1 El Butter
1 Zwiebel, 2 El Öl
1 Knoblauchzehe
Salz, Pfeffer
Paprikapulver
1 Pck. „Französische
Reisspezialität"

300 g Lammfilet
1 Bund Basilikum

Zucchini waschen, in Streifen schneiden. Zwiebel und Knoblauchzehe abziehen, Zwiebel würfeln, Knoblauch zerdrücken. In Butter dünsten, mit Salz, Pfeffer und Paprika-pulver abschmecken. Reis garen. Lammfilet in Scheiben schneiden, mit etwas Salz und Pfeffer würzen, Im Öl von bei-den Seiten je drei Minuten braten. Lammfilet mit Zucchini-gemüse und Reis auf Tellern anrichten, mit Basilikum gar-nieren.

Walnuß-Medaillons mit Staudensellerie-Soße

250 g Langkorn- & Wildreis-
Mischung
5 Stangen Staudensellerie
2 Schalotten
1 El Walnußöl
⅛ l trockener Weißwein
⅛ l Gemüsefond
a.d. Glas
Salz, Pfeffer
Muskat
Schale einer unbehandelten
Zitrone
500 g Schweinefilet
1 Ei
je 50 g gehackte sowie
gemahlene Walnüsse
30 g Butter(-schmalz)
200 ml Sahne
2 Äpfel
1 El Butter

Sellerie waschen und putzen, das Grün beiseitelegen. Scha-lotten abziehen und fein hacken. Sellerie winzig klein würfeln. Schalotten im Öl gla-sig dünsten. Staudensellerie-würfel hinzufügen, kurz anschwitzen. Mit Wein und Fond auffüllen, mit Salz, Pfef-fer, Muskat und Zitronenscha-le würzen. 4-5 Minuten offen kochen, dann fein pürieren. Filet in 1,5 cm dünne Schei-ben schneiden, flach strei-chen. Die Medaillons beidsei-tig salzen und pfeffern, erst im Ei, dann in den Nüssen wen-den. Schmalz in einer Pfanne erhitzen, die Medaillons bei mittlerer Hitze auf beiden Sei-ten 3 Minuten braten. In Alufolie wickeln, warm stel-len. Bratfett abgießen, Sahne angießen und den Bratsatz unter Rühren loskochen. Von dem gedünsteten Sellerie 2 El abnehmen, den Rest durch ein Sieb direkt in die Pfanne pas-sieren. Aufkochen, leicht sämig einköcheln, ab-schmecken. Inzwischen Reis garen und warmstellen. Die Äpfel gut waschen, vierteln und entkernen. In Spalten schneiden, in der Butter kurz schwenken. Selleriewürfel in die Soße geben, mit dem Fleisch und Apfelspalten anrichten. Mit Selleriegrün gar-niert servieren.

Serbischer Paprikaeintopf

▷

4 Zwiebeln
je 1 rote und 1 grüne Paprikaschote
1 Knoblauchzehe
200 g mageres Lammfleisch
4 gestr. Tl Margarine
Paprikapulver
½ l Brühe
100 g Langkorn- & Wildreis-
Mischung

Zwiebeln abziehen, Papri-
kaschoten halbieren, entkernen, waschen und in Streifen,
Zwiebeln in Ringe schneiden.
Knoblauchzehe zerdrücken,
Lammfleisch würfeln. Zwiebeln in der Margarine andünsten, Knoblauch, Fleisch und
Paprikastreifen zugeben und
kurz anschmoren. Mit Paprikapulver würzen, mit Brühe aufgießen und zum Kochen bringen. Reis einstreuen, aufkochen und bei geringer Hitze
20-25 Minuten garen.

Nasi Goreng mit Schweinefilet

6 Eier
Salz, Pfeffer
Zwiebeln
½ El Butter
250 g Möhren
1 Bund Lauchzwiebeln
2 Knoblauchzehen
300 g Schweinefilet
250 g Langkornreis
4 El Öl
¼ Tl gemahlener Koriander
2 El Sojasoße
2 El gehackte Erdnußkerne
1 El Sambal oelek

2 Eier mit etwas Salz und Pfeffer verquirlen. Zwiebeln
abziehen, hacken. Knapp die
Hälfte der Zwiebeln in Butter
dünsten. Verquirlte Eier darübergießen. Stocken lassen,
wenden. Das Omelett aufrollen und in Scheiben schneiden, beiseitestellen. Möhren
und Lauchzwiebeln putzen, in
Stifte schneiden. Knoblauchzehen abziehen, sehr fein
hacken. Schweinefilet in Streifen schneiden. Den Reis
garen. Fleisch in 2 El Öl
7 Minuten braten, herausnehmen. Zwiebeln und Knob-
lauch in der Pfanne goldgelb
braten. Dann die Möhren
dazugeben, kurz mitbraten.
Ca. 4 El Wasser zugießen,
leicht salzen. Nach 5 Minuten
Lauchzwiebeln dazugeben, 3
Minuten mitdünsten, alles aus
der Pfanne nehmen. 1 El Öl in
der Pfanne erhitzen. Den
gegarten Reis darin gut druch-
braten. Gemüse und Fleisch
zugeben. Mit Koriander und
Sojasoße würzen. In einer
zweiten Pfanne restliches Öl
erhitzen, vier Spiegeleier braten. Nasi Goreng mit Spiegel-
eiern, gehackten Erdnüssen,
Sambal oelek und den Ome-
lett-Scheiben servieren.

Hackspieß auf Mandelreis

1 Brötchen vom Vortag
300 g Rinderhack
300 g Schweinemett
2 Zwiebeln
3 Tl gehackter Oregano
1-2 Tl Senf
Salz, Pfeffer
5 El Öl
250 g Langkornreis
(im Kochbeutel)
500 g Naturjoghurt
1 Msp. Kreuzkümmel
1 Tl Zitronensaft
2 Stengel Minze (oder
Petersilie)
3 Tomaten
2 El Essig
2-3 El Mandelblättchen
1 El Butter

Brötchen in Wasser einweichen. Hack und Mett mit einer feingehackten Zwiebel, ausgedrücktem Brötchen, Oregano und Senf verkneten. Mit Salz und Pfeffer kräftig abschmecken. Aus der Masse ca. 2 cm dicke, 3 cm lange Röllchen formen, je 6 Röllchen auf einen Holzspieß stecken. Ein großes Stück Alufolie mit Öl bepinseln, mit den Spießen auf den Bratrost legen, bei 200 Grad ca. 30 Minuten braten. Spieße zwischendurch vorsichtig umdrehen. Nach Ende der Bratzeit ca. 2 Minuten übergrillen. Reis garen. Joghurt mit Salz, Pfeffer, Kreuzkümmel, Zitronensaft würzen. Feingehackte Minze unterrühren. Tomaten waschen, in Scheiben schneiden. Aus Essig, 3 El Öl, Salz und Pfeffer eine Marinade rühren. Restliche Zwiebel fein würfeln, in die Marinade geben. Mandeln goldbraun rösten. Den Reis aus den Beuteln nehmen, Butter unterrühren, Mandeln unterheben. Zu Spießchen, Tomaten mit Zwiebel-Vinaigrette und Dip servieren.

Nackenkoteletts orientalische Art

▷

3 El Sojasoße
1 El Sherry
4 Nackenkoteletts
2 El Margarine
250 g Langkornreis
1 kleine Stange Porree
einige rote Pfefferschoten
3 Zwiebeln, 20 g Mehl
1 gestr. Tl Currypulver
½ l (Instant-)Brühe
Salz, Pfeffer
½ Tl Zucker

Sojasoße und Sherry verrühren, die Koteletts ca. 3 Stunden darin marinieren. Dann trockentupfen. In 2 El Margarine von beiden Seiten 6-8 Minuten anbraten, herausnehmen und warm stellen. Reis garen. Porree putzen, waschen, in feine Ringe schneiden. Gut abgetropften Reis, Porree und Pfefferschoten kurz in restlicher Margarine andünsten, mit Salz und Pfeffer abschmecken. Für die Soße Zwiebeln fein würfeln und im Bratenfond glasig dünsten. Mit Mehl und Currypulver bestäuben, kurz anschwitzen, mit Brühe ablöschen. 2-3 Minuten kochen lassen, mit Salz, Pfeffer und Zucker abschmecken. Die Koteletts mit der Soße übergießen und mit Gemüse-Reis servieren.

Lamm-Pilaw

4-6 Portionen

1 kg Lammschulter (ohne
Knochen)
6 El Öl, Muskat
Salz, Pfeffer
625 ml Lammfond (a.d. Glas)
50 g Korinthen
500 g Blattspinat
3 Zwiebeln
3 Knoblauchzehen
50 g Mandelsplitter
250 g Basmati-Reis
2 Bund Dill
fein abgeriebene Schale
von 3 Limetten

Fleisch würfeln, portionsweise in 2 El Öl scharf anbraten, salzen, pfeffern und mit 125 ml Fond ablöschen. Mit den Korinthen zugedeckt 30 Minuten sanft garen. Spinat tropfnaß zusammenfallen lassen, gut ausdrücken, grob hacken. Zwiebeln fein würfeln, Knoblauch durchpressen. Mandeln ohne Fett goldbraun rösten. Reis abspülen, abtropfen lassen. Dill grob hacken. Zwiebeln, Knoblauch und Reis im restlichen Öl glasig dünsten. 500 ml Fond angießen, aufkochen, 15 Minuten ausquellen lassen. Den Topf von der Herdplatte nehmen, noch 2 Minuten ziehen lassen. Reis mit Fleisch, Spinat, Mandeln, Dill und Limettenschale mischen, mit Salz, Pfeffer und Muskat würzen. Nach Belieben mit Kräutern garniert servieren.

Acapulco-Teller

▷

2 Portionen

125 g Reis, 1 El Öl
200 g gemischtes Hackfleisch
1 Glas Fleischpfannen-Fix
„Mexikanisch Chili"

Für den Salat:

1 Avocado
1 Orange
1 Chicoréestaude
1 Tl Zitronensaft
3 El Öl
Salz, Pfeffer
Zucker
1 El gehackte Kräuter

Reis garen. Inzwischen Hackfleisch im Öl anbraten. Fleischpfannen-Fix dazugeben und aufkochen lassen. Für den Salat Avocado halbieren, Fleisch aus der Schale lösen und würfeln. Geschälte Orange filetieren und kleinschneiden. Aus der Chicoréestaude den Kern herausschneiden, die Blätter in feine Streifen schneiden. Aus Zitronensaft, Öl, Salz, Pfeffer, Zucker und Kräutern eine Salatsoße rühren. Über die Zutaten gießen, durchmischen und in die ausgehöhlten Avocadohälften füllen. Reis mit zubereitetem „Mexikanisch Chili" und jeweils einer gefüllten Avocadohälfte anrichten. Mit Orangenspalten und Chicoréeblättchen garniert servieren.

Kokosschnitzel auf Reis

3 große Lauchstangen
6 Möhren
6 El Öl
8 kleine Schweineschnitzel
Salz, Pfeffer
Mehl
1 Ei
4 El Kokosraspel
3 El Essig
125 g Reis (im Kochbeutel)
2 El Butter

Lauch putzen, längs halbieren, in 2-3 cm lange Stücke schneiden. Möhren schälen, schräg in Scheiben teilen. Lauch in einer großen Pfanne in 2 El Öl 5 Minuten dünsten, Möhren hinzugeben, weitere 5 Minuten garen. Schnitzel mit Salz und Pfeffer würzen, in Mehl und verrührtem Ei wenden, mit Kokosraspeln panieren.

Das Gemüse in einer Marinade aus Essig, Salz und Pfeffer wenden. Die Schnitzel bei milder Hitze im restlichen Öl ausbacken. Daneben den Reis garen, abgießen, sehr gut abtropfen lassen und die Butter unterheben.

Rinderfilet mit asiatischem Gemüsereis ▷

400 g Rinderfilet
Salz, Pfeffer
2 El Sherry
Ingwerpulver
Knoblauchpulver
125 g Naturreis (im Kochbeutel)
25 g getrocknete Schwarze Pilze, 3 El Öl
1 kleiner Chinakohl
100 g Bohnenkeimlinge
1 rote Paprikaschote
1 Bund Frühlingszwiebeln
2 Knoblauchzehen
1 Dose Maiskölbchen
1 Msp. Sambal oelek
1 Tl Chinesische 5-Gewürzmischung

2 Gläser Fleischpfannen-Fix „Chinesisch Szechuan"

Rinderfilet in hauchdünne Scheiben schneiden, in einer Marinade aus 2 El Öl, Salz, Pfeffer, Sherry, Ingwerpulver und Knoblauchpulver ca. 20 Minuten einlegen. Reis und Schwarze Pilze nach Packungsanweisung zubereiten. Inzwischen Außenblätter vom Chinakohl entfernen, vierteln, den Strunk herausschneiden. Chinakohl in grobe Streifen schneiden, mit den Bohnenkeimlingen in ein Sieb füllen und waschen. Paprikaschote

und Frühlingszwiebeln putzen, waschen, Paprika in Streifen, Frühlingszwiebeln in Ringe schneiden. Knoblauchzehen abziehen, zerdrücken. Maiskölbchen abtropfen lassen. Restliches Öl im Wok erhitzen, Gemüse nach und nach darin bißfest garen, mit Salz, Pfeffer, Sambal oelek und Gewürzmischung abschmecken. Gegarten Reis dazugeben, nochmals erhitzen. Rinderfilet ohne Fett kurz anbraten und warm stellen. Fleischpfannen-Fix unter Rühren erhitzen und mit dem Filet und Gemüsereis anrichten.

135

Hacksteaks mit gebackenen Bohnen   ▷

1 große Dose weiße Bohnen
50 g gekochter Schinken
2 Zwiebeln
50 g Speckwürfel
1 El Senf
4 El Ketchup
Salz, Pfeffer
250 g Reis (im Kochbeutel)
2 El Petersilie
4 (TK-)Hacksteaks
2 El Öl

Bohnen abgießen, Saft auffangen. Schinken würfeln, Zwiebeln fein hacken. Zwiebeln, Speckwürfel und Bohnen vermengen, in eine Auflaufform geben. Bohnensaft mit Senf, Ketchup, Salz und Pfeffer verrühren, über die Bohnen gießen. Form abdecken, im Ofen bei 175 Grad ca. 20 Minuten backen. Reis

garen. Petersilie unter den gegarten Reis mischen. Hacksteaks in erhitztem Öl von beiden Seiten braten. Gebackene Bohnen mit Hacksteaks und Reis anrichten.

Kalbsröllchen in Limettensoße

2 Möhren
150 g Lauch
8 kleine Kalbsschnitzel
Salz, Pfeffer
8 kleine Scheiben roher
Schinken
2 El geriebener Emmentaler
1 Tl Salbei
3 Limetten
2 El Öl
5-6 El Kalbsfond
4 cl Sherry
200 g Langkorn- & Wildreis-
Mischung

1 Prise Zucker
2 El Butter

Möhren und Lauch putzen, waschen, in 5 cm lange Streifen schneiden. Schnitzel salzen, pfeffern, mit je 1 Scheibe Schinken belegen. Käse und Salbei auf dem Schinken verteilen. Schnitzel zusammenrollen, mit einem Holzstäbchen feststecken. Limetten waschen. Von einer Frucht mit dem Zestenschneider Schalenstrei-

fen abschneiden, Saft auspressen. Übrige Früchte in Scheiben schneiden. Kalbsröllchen im Öl knusprig anbraten. Fond, Sherry und Schalenstreifen zufügen. Bei milder Hitze 8 Minuten zugedeckt schmoren lassen, abschmecken. Reis im Salzwasser garen. Möhren und Lauch 5 Minuten in der Butter dünsten, abschmecken. Kalbsröllchen mit der Soße, den Limetten, Reis und dem Gemüse servieren.

Kalbfleischrouladen auf Reis

200 g Langkornreis
Salz
Pfeffer
600 g Zucchini
1 Eigelb
Paprika
Muskat
Kräuter der Provence
8 dünne Scheiben Kalbfleisch
aus der Keule (à 60 g)
5 El Öl
½ l Brühe
2 El Essig
1 Tl Senf
2 El Schnittlauchröllchen

Reis in Salzwasser 15 Minuten kochen, abseihen. ⅓ für die Füllung abnehmen. Zucchini putzen, 200 g für die Füllung fein würfeln, den Rest für den Salat stifteln. Zucchiniwürfel mit Eigelb unter den Reis heben. Mit Salz, Pfeffer, Paprika, Muskat und Kräutern der Provence abschmecken. Fleisch würzen, mit der Füllung belegen, aufrollen und zusammenstecken. 2 El Öl in einem breiten Topf erhitzen. Rouladen gut anbraten. Brühe nach und nach angießen, 30 Minuten schmoren. Zucchinistifte mit Essig, Salz, Pfeffer, Senf, 2 El Öl und Schnittlauch mischen. Reis im restlichen Öl erwärmen, zu den Rouladen und Zucchini servieren.

Bunter Wurstspieß auf Safran-Reis   ▷

2 geräucherte Mettwürstchen
2 Brühwürstchen
150 g geräucherter durchwachsener Speck
je 1 rote und 1 grüne Paprikaschote
1 kleines Glas Maiskolben
8 kleine Zwiebeln

Für die Marinade:
4 El Öl, 1 El Butter
2 El Sojasoße
2 El Ketchup

Salz, Pfeffer
Knoblauchpulver
Kräuter der Provence
300 g Langkornreis
1 Msp. Safran
1 Tl Currypulver

Würstchen in Stücke, Speck in Scheiben schneiden. Paprikaschoten in grobe Stücke schneiden. Maiskolben abtropfen lassen. Zwiebeln abziehen. Alle vorbereiteten Zutaten auf vier Spieße stecken. Die Marinadenzutaten verrühren, die Spieße darin 1 Stunde ziehen lassen. Unterm Grill 6-8 Minuten von allen Seiten garen. In der Zwischenzeit den Reis garen, dabei den Safran mit ins Garwasser geben. Mit Salz und Curry abschmecken. Butter unter den Reis heben. Auf einer Platte anrichten, die Spieße darauf servieren.

Minutensteaks auf gratiniertem Reis

▷

2 Portionen

125 g Reis (im Kochbeutel)
125 ml Sahne
1 Ei
2 El geriebener Käse
Salz, Pfeffer
1 El gemischte (TK-)Kräuter
1 Zwiebel
4 Scheiben Schinkenspeck
300 g grüne (TK-)Bohnen
2 Minutensteaks
2 El Öl
1 El grüne Pfefferkörner

Reis zubereiten. Dann in eine gefettete Auflaufform geben. Sahne mit Ei und Käse verquirlen, mit Salz, Pfeffer und Kräutern würzen, über den Reis gießen. Gratin im Ofen bei 200 Grad ca. 15 Minuten überbacken. Inzwischen Zwiebel und Schinkenspeck würfeln, Speck in einer Pfanne auslassen, Zwiebeln zugeben, glasig dünsten. Bohnen blanchieren, dazugeben, mit Salz und Pfeffer würzen und 5 Minuten mitdünsten, aus der Pfanne nehmen, warm stellen. Minutensteaks im Öl von beiden Seiten kurz anbraten, würzen. Steaks mit Pfefferkörnern bestreuen und mit gratiniertem Reis und Speckböhnchen servieren.

Gratiniertes Schweinefilet auf Tomaten-Basilikum-Reis

600 g Schweinefilet
3 El Öl
Pfeffer, Salz
275 ml (Instant-) Brühe
1 Zwiebel
250 g Langkornreis
¼ l Weißwein
3 Tomaten
1 Bund Basilikum
2 El Parmesan
1 El Semmelbrösel
1 El Butter

Schweinefilet in 2 El Öl kurz und kräftig anbraten, salzen, pfeffern, 150 ml Brühe angießen. Im Ofen bei 225 Grad 15 Minuten braten. Zwiebel abziehen, fein würfeln, im übrigen Öl anschwitzen. Reis zugeben, glasig werden lassen. Mit Wein und Brühe aufgießen. Zugedeckt bei schwacher Hitze 20 Minuten köcheln lassen. Tomaten überbrühen, enthäuten, in Spalten schneiden und entkernen. Basilikum kurz in heißes Wasser tauchen, kalt abschrecken, in Streifen schneiden. Parmesan und Brösel mischen, mit Butter verkneten. Das Fleisch mit der Parmesan-Butter-Mischung bestreichen, 5 Minuten im Ofen überbacken, bis der Käse braun ist. Reis abschmecken, Tomatenspalten und Basilikumstreifen unterheben, mit in Scheiben geschnittenem Filet und Bratenfond servieren.

Roastbeef auf Petersilienreis

1 kg Roastbeef
Salz
Pfeffer
10 El Öl
250 g Langkornreis
2 Bund Petersilie
3 El Butter
400 g Erbsen
Muskat

Roastbeef waschen, trockentupfen, würzen. In stark erhitztem Öl rundherum anbraten. Mit der Fettseite nach unten in den auf 200 Grad vorgeheizten Ofen schieben, 45 Minuten garen. Nach 10 Minuten die Temperatur auf 180 Grad herunterschalten. Inzwischen den Reis garen. Petersilie hacken, ein Drittel davon mit 1 El Butter vermengen. Erbsen in Salzwasser garen, abgießen, in restlicher Butter schwenken, mit Salz und Muskat abschmecken und mit gehackter Petersilie bestreuen. Reis mit Petersilienbutter vermengen. Roastbeef in Scheiben schneiden, mit Petersilienreis und Erbsen servieren.

Schweinefilettopf mit Aprikosen

750 g Brokkoli
600 g Schweinefilet
1 Zwiebel
Salz, Pfeffer
250 g Langkornreis
1 El Butter
2 El Öl
1 El Curry
100 ml Brühe
200 g Sahne
1 kleine Dose Aprikosen

Brokkoli waschen, in Röschen teilen, 2 Minuten blanchieren, abschrecken. Fleisch in 2 cm große Würfel schneiden. Zwiebel fein würfeln. Reis garen. Brokkoli in Butter und etwas Wasser bißfest dünsten, salzen, pfeffern. Zwiebeln in 1 El Öl anschwitzen, aus der Pfanne nehmen. Im restlichen Öl die Fleischwürfel von allen Seiten anbraten, Zwiebel zugeben, mit Salz, Pfeffer und Curry würzen. Brühe und Sahne angießen, 5 Minuten sanft köcheln lassen . Aprikosen abtropfen lassen, in Spalten schneiden und mit 5 El Saft zum Fleisch geben, erwärmen. Mit Salz, Pfeffer und Curry abschmecken. Mit Brokkoli und Reis servieren.

Schweinemedaillons auf exotische Art ▷

2 Portionen

125 g Reis (im Kochbeutel)
4 Schweinemedaillons
Salz, Pfeffer
2 El Öl
1 Glas Fleischpfannen-Fix
„Karibisch"
1 kleine Dose Pfirsiche
6 Cocktailkirschen

Reis garen. Medaillons würzen, im Öl von beiden Seiten je drei Minuten braten. Fleischpfannen-Fix unter Rühren erhitzen. Pfirsiche abtropfen lassen, die eine Hälfte in Spalten, die andere Hälfte in Stücke schneiden. Pfirsichstücke unter den gegarten Reis geben. Schweinemedaillons mit dem Pfirsich-Reis auf Tellern anrichten. Fleischpfannen-Fix dazugeben. Den Reis mit Cocktailkirschen und Pfirsichspalten garnieren.

Rindergeschnetzeltes mit Gemüsereis

250 g Reis
Salz, Pfeffer
200 g (TK-)Erbsen
2 Bund Suppengrün
2 El Butter
Cayennepfeffer
100 g Champignons
1 Zwiebel
600 g Rinderfilet
2-3 El Öl
200 ml (Instant-)Fleischbrühe
2-3 El Sojasoße
2 El Sherry

Reis in Salzwasser körnig kochen. Erbsen auftauen lassen. Suppengrün putzen, waschen, in kleine Würfel schneiden. Mit den Erbsen in Butter 5 Minuten dünsten, mit Salz und Cayennepfeffer würzen. Pilze putzen, feinblättrig schneiden. Zwiebel fein hacken. Das Fleisch quer zur Faser in sehr dünne Scheiben, diese dann in 3 cm breite Streifen schneiden, pfeffern. Pilze in 1 El Öl andünsten, aus der Pfanne nehmen. Dann portionsweise die Fleischscheiben in Öl anbraten, herausnehmen. Zwiebel in der Pfanne anbraten. Das Fleisch mit dem ausgelaufenen Bratensaft dazugeben. Brühe angießen, mit Sojasoße, Sherry und Pfeffer würzen, die gebratenen Pilze darüberstreuen. Den Reis mit dem Gemüse mischen, zum Geschnetzelten servieren.

Bunter Hackspieß auf Gemüsereis ▷

250 g Reis, 1 Ei
250 g Hackfleisch
Salz, Pfeffer
Paprikapulver
3 El Öl, 2 Zwiebeln
2 Paprika
2 Zucchini
8 eingelegte Knoblauchzehen
1 Tl Butter

Reis garen. Hackfleisch, Ei, Gewürze mit ca. 100 g des gegarten Reis vermischen, kleine Bällchen formen und in 2 El Öl anbraten. Zwiebeln achteln. Zucchini in Scheiben, Paprika in Stücke schneiden. Die gebratenen Hackfleischbällchen abwechselnd mit dem Gemüse und den Knoblauchzehen auf insgesamt 8 Schaschlikspieße stecken, mit Paprikapulver würzen. Spieße im restlichen Öl zehn Minuten braten. Restliches Gemüse fein schneiden. Butter zerlassen, Reis und Gemüse zugeben, erwärmen, mit Paprikapulver würzen.

Asiatische Reispfanne

8 kleine getrocknete
Tongu-Pilze
250 g Langkornreis
Salz, Öl
250 g Rinderfilet
1 Zwiebel
1 Stange Staudensellerie
1 große rote Paprikaschote
2 Stangen Lauch
2 Chilischoten

2 El Sojasoße
1 Msp. Kurkuma

Pilze einweichen. Reis garen. Rinderfilet in Streifen schneiden. Zwiebel abziehen, fein hacken. Staudensellerie in feine, Paprika in etwas größere Stifte schneiden. Lauchstange schräg in Ringe, Pilze in Scheiben, Chilischote in feine Ringe schneiden. Fleisch im Öl ganz kurz braten, aus der Pfanne nehmen. Gemüse im Fett der Pfanne kurz anbraten, einen Schuß Wasser, Sojasoße und Salz zugeben, dünsten. Reis mit Kurkuma vermengen, mit Gemüse und Fleisch mischen. Chiliringe unterheben.

Kalbssteak auf Früchtereis

250 g Reis (im Kochbeutel)
1 Banane
1 El Zitronensaft
1 kleine Mango
2 El Butter
150 ml Fleischbrühe
3 El Sherry
1 Tl grüne Pfefferkörner
Salz, Pfeffer
1 Prise Zucker

4 Kalbssteaks (à 150 g)
Paprikapulver
2 El Butter(-schmalz)

Reis garen. Inzwischen die Banane in Scheiben schneiden, mit Zitronensaft beträufeln. Mango schälen, das Fruchtfleisch vom Stein lösen und würfeln. Banane im Fett goldbraun braten. Mango, Brühe, Sherry und Pfefferkörner zufügen, würzen. Reis unter die Früchte mischen, abschmecken, warm stellen. Steaks von jeder Seite 3 Minuten braten, dann würzen. In Scheiben schneiden und mit dem Früchtereis auf Tellern anrichten.

Hirschbraten mit gefülltem Apfel ▷

1 kg Hirschrücken
(ausgelöst)
Salz
Pfeffer
1 El Öl
4 Zwiebeln
¼ l Rotwein
⅛ l Brühe
4 Wacholderbeeren
1 Lorbeerblatt
1 Zweig Thymian
1 Stange Zimt
2 Pck. „Schweizer
Reisspezialität"
4 Äpfel
⅛ l Apfelsaft
3 Scheiben Honigkuchen
100 ml Sahne

Fleisch von allen Seiten kräftig würzen und im Öl scharf anbraten. Zwiebeln würfeln, zugeben und leicht bräunen lassen. Mit Rotwein und Brühe ablöschen. Wacholderbeeren, Lorbeerblatt, Thymian und Zimtstange hinzugeben. Im Ofen bei 180 Grad ca. 45 Minuten garen. Inzwischen den Reis garen. Äpfel waschen, halbieren und Kerngehäuse herauslösen. So aushöhlen, daß ein Rand stehen bleibt. Fruchtfleisch fein würfeln, unter den gegarten Reis mischen. Reismischung in die Apfelhälften füllen, in eine Auflaufform setzen, Apfelsaft angießen, im Ofen bei 175 Grad 20-25 Minuten garen. Hirschbraten herausnehmen, warm stellen. Bratenfond durch ein Sieb passieren, zwei Scheiben Honigkuchen zerkleinern und hineingeben. Die Soße aufkochen lassen, pürieren, mit Sahne verfeinern und pikant abschmecken. Aus der restlichen Scheibe Honigkuchen Sternchen ausstechen. Hirschbraten in Scheiben schneiden, mit gefüllten Reis-Äpfeln und Soße anrichten, mit Honigkuchen-Sternchen dekoriert servieren.

Pikantes Schweinefleisch mit Pfirsich

4 Schweine-Nackenkoteletts
(ohne Knochen)
200 g Langkornreis
1 Tl Senfkörner
300 g Crème fraîche
2 El Thymian
½ El Rosmarin
1 El Majoran, Muskat
1 Prise gemahlene Nelken
1 gestr. Tl Salz

2 zerriebene Lorbeerblätter
1 große Dose Pfirsichhälften
200 ml Weißwein

Fleisch in schmale Streifen teilen. Reis garen. Senfkörner im Mörser zerstoßen. Crème fraîche mit allen Gewürzen mischen, 15 Minuten ziehen lassen. Pfirsiche gut abtropfen lassen, 200 ml Saft auffangen. Früchte in schmale Spalten schneiden. Fleisch rundherum anbraten. Soßenmischung unterrühren. Wein und Pfirsichsaft angießen. Kurz aufkochen. Früchte unterheben, kurz erwärmen. Reis abgießen, mit Fleisch, Früchten und Soße anrichten.

Schweinefilet indische Art

▷

125 g Langkornreis (im Kochbeutel)
2 Eier
Salz, Pfeffer
Currypulver
1 El Butter
200 g Schweinefilet
3 El Öl
1 Glas Fleischpfannen-Fix „Indisch Curry"
250 g Kirschtomaten
Paprikapulver

Reis garen. Eier in eine Schüssel geben, würzen und verquirlen. Gegarten Reis dazugeben, mischen. Reismasse in gefettete Tortelett-Förmchen füllen, gut andrücken, im Ofen bei 180 Grad 20 Minuten backen. Schweinefilet in feine Streifen schneiden, im Öl von allen Seiten gut anbraten. Fleischpfannen-Fix zugeben, unter Rühren erhitzen.

Kirschtomaten waschen, vierteln in Butter dünsten, mit Paprikapulver würzen. Reistorteletts aus dem Ofen nehmen, auf Teller stürzen, mit Geschnetzeltem und Tomatengemüse servieren.

Geschmortes Kaninchen mit Olivenreis

1 kg Kaninchenteile
2 Knoblauchzehen
1 Tomate
Salz, Pfeffer
2 rote und 1 gelbe Paprikaschote
2 Zwiebeln
3 El Öl
4-5 Salbeiblätter
100 ml Gemüsebrühe
200 g Langkornreis
50 g grüne Oliven

Fleisch mit Salz und Pfeffer einreiben. Knoblauch abziehen, fein hacken. Tomate überbrühen, häuten, in Stücke teilen, entkernen. Paprikaschoten putzen, waschen, vierteln, entkernen und mit dem Sparschäler häuten. Schoten in 2-3 cm breite Stücke schneiden. Zwiebeln abziehen, achteln. Kaninchen im Bräter in 2 El Öl rundum kräf-

tig anbraten. Zwiebeln, Salbei, Knoblauch anschwitzen. Etwas Brühe angießen. Tomate, Paprika zugeben, salzen, pfeffern. Ca. 40 Minuten im Ofen zugedeckt schmoren lassen. Reis garen, abgießen. Oliven entsteinen, in Spalten schneiden, im restlichen Öl anschwitzen, Reis unterheben, erhitzen. Kaninchen mit dem Reis servieren.

Bunte Reispfanne mit Rinderhack ▷

250 g Reis, 2 El Öl
2 Zwiebeln
1 Knoblauchzehe
500 g Rinderhack
1 El Tomatenmark
1 Tl Edelsüßpaprikapulver
¼ l (Instant-)Brühe

1 Pck. (TK-)Balkangemüse
Salz, Pfeffer

Reis garen. Zwiebeln und Knoblauch abziehen, hacken, im Öl andünsten. Rinderhack dazugeben, unter Rühren anbraten. Tomatenmark, Paprikapulver, Brühe und Balkangemüse zufügen, würzen. Zugedeckt 15 Minuten garen. Dann den Reis untermischen, nochmals kurz erwärmen und sofort servieren.

Pußta-Reis

250 g Langkornreis
Salz
je 1 große rote, gelbe und grüne Paprikaschote
250 g Champignons
2 Zwiebeln
300 g Cabanossi (oder ungarische Salami)
1 El Schmalz

½ Tl Rosenpaprikapulver
2 Tl getrockneter Majoran
schwarzer Pfeffer

Reis garen. Paprikaschoten putzen, in Würfel schneiden. Champignons putzen, vierteln. Zwiebeln abziehen und würfeln. Cabanossi in Scheiben schneiden. Zwiebeln im Schmalz goldgelb braten. Champignons zugeben, anbraten. Cabanossi und Paprikaschoten unterrühren. Mit Rosenpaprikapulver, Majoran und Pfeffer würzen. 7 Minuten garen. Den Reis unterrühren, nochmals abschmecken.

Italienische Tomatenreis-Pfanne

250 g Langkornreis
200 ml Gemüsebrühe
300 ml Tomatensaft
300 g gekochter Schinken
2 Zwiebeln
12 schwarze Oliven
2 El Olivenöl
1 Pck. TK-Erbsen
1 Tl getrockneter Oregano
½ Tl getrockneter Thymian

1 El Tomatenmark
Salz
Pfeffer
100 g geriebener Parmesan

Reis in Brühe und Tomatensaft 20 Minuten garen. Schinken in Streifen schneiden. Zwiebeln abziehen und hacken. Oliven halbieren, entsteinen. Zwiebeln in Öl andünsten. Erbsen zugeben. Mit Oregano und Thymian 10 Minuten garen. Schinken zugeben. Gegarten Reis, mit etwas Wasser verrührtes Tomatenmark und Oliven unterrühren. Mit Salz und Pfeffer abschmecken. Mit Parmesan bestreut servieren.

Kalbsgeschnetzeltes in Kapernsahne

600 g (TK-)Brokkoli
800 g Kalbsschnitzel
Salz, Pfeffer
250 g Langkornreis
2-3 El Öl
300 ml (Instant-)Gemüse-
brühe, Muskat
2 El Tomatenmark
1 El Tomatenketchup
200 ml Sahne
1 El Butter
2-3 El Kapern

Brokkoli auftauen lassen. Fleisch quer zur Faser in schmale Streifen schneiden, pfeffern. Reis garen. Das Fleisch portionsweise kurz von allen Seiten anbraten, herausnehmen, warmhalten. Bratensatz mit der Brühe losköcheln. Tomatenmark und Ketchup mit etwas Sahne anrühren, zur Soße geben. Sahne angießen und die Soße ca. 10 Minuten bei milder Hitze dicklich einköcheln lassen. Brokkoli in Butter und 2 El Wasser kurz dünsten, mit Salz und Muskat abschmecken. Fleisch mit 2 El Kapern in der Soße kurz ziehen lassen. Nochmals abschmecken.

Hackspieß mit Kräuterreis

125 g Langkornreis (im
Kochbeutel)
1 Zwiebel
1 Knoblauchzehe
4 El Olivenöl
1 Bund Basilikum
1 Bund Majoran
1 Bund Petersilie
300 g (TK-)Erbsen
500 g gemischtes Hackfleisch
Fleischgewürz
½ Gemüsezwiebel

100 g Champignons
50 g geräucherter, durchwachsener Speck

Reis garen. Zwiebel und Knoblauch abziehen, fein hacken, im Öl andünsten. Auf eine Platte geben, warm stellen. Für die Spieße Hackfleisch mit dem Fleischgewürz verkneten, aus der Masse kleine Bällchen formen. Gemüsezwiebel in feine Spalten, Champignons in dicke, Speck in dünne Scheiben schneiden. Abwechselnd Hackbällchen, Speck, Zwiebeln und Champignons auf die Spieße stecken, von allen Seiten ca. 10 Minuten grillen. Für den Kräuterreis Basilikum, Majoran und Petersilie hacken, unter den gegarten Reis ziehen.Nach Belieben garniert serviert.

155

Mexikanische Mais-Reis-Pfanne

250 g Langkornreis
Salz, Pfeffer
4 eingelegte, rote Peperoni
2 Zwiebeln
4 Knoblauchzehen
1 Bund Petersilie
3 El Öl
300 g Rinderhack
½ Tl Kreuzkümmel
1 Dose Mais

Reis garen. Peperoni entkernen, in Ringe schneiden. Zwiebeln und Knoblauch abziehen und hacken. Petersilie abspülen, grob hacken. Zwiebeln und Knoblauch in 2 El Öl andünsten. Hackfleisch zugeben, unter Rühren knusprig braten. Dabei mit Salz, Kreuzkümmel und Pfeffer gut würzen. Peperoni, abgetropften Mais und 1 El Öl zugeben. Reis und Petersilie unterrühren. Mit Kreuzkümmel, Salz und Pfeffer nochmals abschmecken.

Schweinemedaillons mit Brokkoli ▷

250 g Langkorn- & Wildreis-Mischung
600 g Brokkoli
Salz, Pfeffer
3 kleine Zwiebeln
200 ml Sahne
8 Schweinemedaillons
200 g Kräuterfrischkäse
Zitrone und Petersilie zum Garnieren, 4 Tl Öl

Reis garen. Inzwischen Brokkoli putzen, waschen, in kleine Röschen teilen. In kochendem Salzwasser 10-15 Minuten garen, abtropfen lassen. Zwiebeln abziehen, fein hacken. Kurz andünsten, mit der Sahne aufgießen, etwas einkochen lassen. Fleisch im Öl von jeder Seite kräftig anbraten. Mit Salz und Pfeffer würzen, dann bei mittlerer Hitze ca. 4 Minuten weiterbraten. Frischkäse in der Sahne schmelzen. Brokkoli unterheben, abschmecken. Gemüse und Fleisch mit den Zitronenrädchen und der Petersilie garniert anrichten und sofort serviert.

Gefüllte Lammschulter mit Aprikosengemüse

200 g Trockenaprikosen
300 g Zwiebeln
2 Knoblauchzehen
100 g Staudensellerie
5 El Öl
1 El Minzeblätter
1 unbehandelte Zitrone
2 Lammschultern (à ca. 1 kg,
entbeint, Knochen grob
hacken und mitgeben lassen)
Salz
¼ Tl gemahlener Kreuz-
kümmel
½ Tl Chili (getrocknet und
zerrieben)
4 Lorbeerblätter
300 g Möhren
300 g Carli (hellgrüne türki-
sche Paprikaschoten)

Am Vortag die Aprikosen in ½ l kaltem Wasser einweichen. Am nächsten Tag die Hälfte der Aprikosen abtropfen lassen, Saft dabei auffangen und würfeln. 2 Zwiebeln und Knoblauch abziehen, Staudensellerie schälen. Alles sehr fein würfeln, in 3 El Öl unter Rühren 5 Minuten glasig dünsten. Selleriegrün und Minze fein hacken. Zitronenschale abreiben. Lammschultern von Haut und Fett befreien. Die Fleischstücke auf der Innenseite und an den Kanten glattschneiden. Die Fleischabschnitte durch die mittlere Scheibe des Fleischwolfs drehen. Das Lammhack mit den gewürfelten Aprikosen, Gemüsewürfeln, Kräutern und Zitronenschale verkneten. Mit Salz, Kreuzkümmel und Chili würzen. Lammschultern rundum salzen. Die Füllung auf die Innenseite einer Lammschulter geben, die andere mit der Innenseite darauflegen. Alles mit Rollgarn verschnüren und die Enden mit Holzspießchen und Rollgarn verschließen. Zitrone auspressen. Restliche Zwiebeln abziehen, vierteln. Das Fleisch auf die Saftpfanne setzen, mit restlichem Öl und Zitronensaft bepinseln. Zwiebeln, Lammknochen und Lorbeerblätter auf der Saftpfanne verteilen. Die Hälfte des Aprikosensuds mit ⅛ l Wasser mischen und dazugießen. Im Ofen bei 200 Grad 1 ½ Stunden braten. Inzwischen die Möhren schälen, in dicke Scheiben schneiden. Paprikaschoten dritteln, Stielansätze und Kerne entfernen. Nach 1 Stunde Bratzeit die Möhren auf die Saftpfanne geben, den restlichen Aprikosensud und ca. ⅛ l Wasser dazugießen. 10 Minuten vor Ende der Garzeit die Knochen entfernen, die Paprikaschoten und restliche Aprikosen auf die Saftpfanne geben, im Bratensaft wenden, leicht salzen. Fleisch 10 Minuten im ausgeschalteten Ofen ruhen lassen. Garn und Spieße entfernen, Braten aufschneiden, mit Gemüse und Bratensaft servieren. Dazu paßt gebratener Reis mit Sesam, Schwarzkümmel und Petersilie oder Koriandergrün.

Reis mit Meeresfrüchten

Jacobsmuscheln und Schollenröllchen in Safransoße

250 g Wildreis oder Langkorn-
& Wildreis-Mischung
8 Jacobsmuscheln
4 Schollenfilets (ca. 500 g)
Salz
1 El Zitronensaft
30 g Butter
3 Schalotten
¼ l Weißwein

Für die Soße:
100 ml Sahne
1 Msp. Safranpulver
Salz, Pfeffer, Zucker
1 Tl Soßenbinder
1 Eigelb

1 Tl Zitronensaft
30 g Butter

Reis garen, warm stellen. Jacobsmuscheln und Schollenfilets säubern, mit Zitronensaft säuern, leicht salzen. Filets der Länge nach durchschneiden, so einrollen, daß die Hautseite innen ist. Butter zerlassen, die gewürfelten Schalotten glasig dünsten, mit Weißwein auffüllen. Zum Sieden bringen. Jacobsmuscheln und Schollenröllchen nebeneinander in die heiße Weinflüssigkeit legen und ca. 3 Minuten garen (nicht kochen). Aus der Flüssigkeit nehmen und warmstellen. Fischsud mit Sahne und den Gewürzen aufkochen, mit Soßenbinder andicken. Mit Eigelb legieren und mit Zitronensaft abschmecken. Vor dem Anrichten Butter gut gekühlt in Flocken in die Soße rühren. Jacobsmuscheln und Schollenröllchen auf eine Platte legen, mit Safransoße begießen. Reis dazu servieren.

Schollenfilets mit Tomatenreis (Abb. S. 159)

2 Portionen

125 g Reis (Kochbeutel)
6 Schollenfilets
1-2 El Zitronensaft
1 Zucchini
1 gelbe Paprika
3 El Crème fraîche
1 El Basilikum
Salz, Pfeffer
1 Fleischtomate
500 g Forellen-Kaviar

Reis garen. Fleischtomate überbrühen, enthäuten, entkernen und fein würfeln. Unter den gegarten Reis heben, mit Salz und Pfeffer würzen, warm stellen. Schollenfilets waschen, trockentupfen und mit Zitronensaft beträufeln. Zucchini und Paprika putzen. Zucchini in Scheiben, Paprika in Streifen schneiden. Crème fraîche mit gehacktem Basilikum, Salz und Pfeffer verrühren, in eine feuerfeste Form geben. Die Schollenfilets daraufsetzen, Paprika und Zucchini dazulegen. Würzen und bei 200 Grad ca. 30 Minuten im Backofen garen. Die fertigen Schollenfilets mit Forellen-Kaviar und Basilikumblättern anrichten. Dazu den Tomatenreis servieren.

Bananen-Krabben-Curry

▷

2 Zwiebeln
20 g Butter
2 El Currypulver
⅛ l Hühnerbrühe
125 ml Sahne
400 g Krabben
Saft einer halben Zitrone
Salz, Pfeffer
Muskat
4 Bananen
1 Bund Dill

Für den Reisrand:
150 g Langkornreis

1 kleine rote Paprika
100 g TK-Erbsen

Zwiebeln fein hacken und in Butter weichdünsten. Currypulver einstreuen, andünsten. Mit der Hühnerbrühe und Sahne aufgießen, aufkochen und 10 Minuten köcheln lassen. Krabben hineingeben. Mit Zitronensaft, Salz, Pfeffer und Muskat würzen. Bananen schälen, in Scheiben schneiden, in das Ragout rühren,

kurz darin erhitzen. Dill abbrausen, fein hacken und einstreuen. Für den Reisrand Reis garen. Paprika waschen, putzen und in winzige Würfel schneiden. Mit den Erbsen acht Minuten vor Ende der Garzeit zum Reis geben. Den Reis in vier gefettete Reisring-förmchen gleichmäßig einfüllen, gut festdrücken und dann auf Teller stürzen. Bananen-Curry in die Mitte füllen und sofort servieren.

Lachskotelett mit Kräuterbutter

Für die Kräuterbutter:
150 g Butter, Salz
1 Knoblauchzehe
1 Pck. TK-Gartenkräuter

Für die Lachskoteletts:
4 Lachskoteletts (à ca. 180 g)
Saft einer Zitrone
Salz, Pfeffer
1 El Butter(-schmalz)
200 g Naturreis
1 kleiner Kopf Endiviensalat
je 1 kleine rote, gelbe und
grüne Paprikaschote
½ Bund Radieschen
1 rote Zwiebel
1 Becher Joghurt
1 El Salatmayonnaise
1 Knoblauchzehe

Zucker
1 Bund Schnittlauch

Butter mit dem Handrührgerät schaumig schlagen. Zerdrückte Knoblauchzehe und die Gartenkräuter dazugeben, gut mischen, mit Salz abschmekken. Erkalten lassen und in einen Spritzbeutel füllen. Auf einen Teller kleine Butter-Röschen spritzen, kalt stellen. Lachs waschen, trockentupfen, mit der Hälfte des Zitronensaftes einreiben, mit Salz und Pfeffer würzen und im Fett von beiden Seiten 8 Minuten braten. Reis zubereiten. Endiviensalat, Paprikaschoten und

Radieschen putzen. Salat in mundgerechte Stücke zupfen, Paprika in Streifen, Radieschen in Stücke schneiden. Zwiebel in Ringe schneiden, alles in einer Schüssel vermengen. Für die Soße Joghurt und Mayonnaise verrühren, Knoblauchzehe zerdrücken und dazugeben. Mit restlichem Zitronensaft, Salz, Pfeffer und Zucker abschmecken. Schnittlauch waschen, in Röllchen schneiden, unter das Dressing geben. Soße mit Salatzutaten mischen, Reis mit Lachskoteletts auf Tellern anrichten, Kräuterbutter darauflegen und mit Salat servieren.

Seelachs unter der Knusperhaube

250 g Langkornreis
Salz, Pfeffer
2 Knoblauchzehen
4 El Öl
1 große Dose geschälte
Tomaten
1 Tl Oregano
Cayennepfeffer
1 Paprikaschote
2 Zwiebeln
500 g Seelachsfilet
Zitronensaft

Für die Knusperhaube:
100 g Semmelbrösel
1 Ei
2 El gehackte Petersilie
1 El Butter

Reis garen, warm stellen. Knoblauchzehen abziehen, zerdrücken. Knoblauch in 2 El Öl andünsten. Tomaten mit Flüssigkeit zugeben und mit Salz, Oregano und Cayennepfeffer würzen. 10 Minuten köcheln lassen, anschließend pürieren. Paprikaschote putzen, waschen, Zwiebeln abziehen und beides in Ringe schneiden. Im restlichen Öl kurz dünsten. Fisch in 4 Portionen teilen, säubern, mit Zitronensaft beträufeln und mit Salz und Pfeffer würzen. Reis, Paprika- und Zwiebelringe in eine gefettete Auflaufform schichten, Tomatensoße darübergeben und den Fisch darauf betten. Semmelbrösel, Ei und Petersilie vermischen und über den Fisch streuen. Mit Butterflöckchen belegen. Im Ofen bei 200 Grad ca. 40 Minuten garen.

Bananenreis und Seelachsstäbchen ▷

1 Portion

125 g Reis (im Kochbeutel)
1 kleine Banane, 3 El Öl
1 Tl Zitronensaft
5 TK-Seelachs-Fischstäbchen
1 Tl gehackte Petersilie
1 Prise Currypulver
5 grüne Weintrauben

Reis garen. Banane schälen, in nicht zu dünne Scheiben schneiden, mit Zitronensaft beträufeln. Fischstäbchen noch gefroren in das heiße Öl geben und 5-8 Minuten braten, dabei nur einmal wenden. Die Hälfte des Reis (andere Hälfte anderweitig verwenden) mit Bananenscheiben, Petersilie und Currypulver locker mischen, in einer Schale anrichten. Auf die gebackenen Fischstäbchen mit einenn Zahnstocher jeweils eine Bananenscheibe und eine Weintraube stecken. Zum Reis servieren.

Nasi Goreng mit Shrimps ▷

250 g Reis (im Kochbeutel)
5 El Öl
2-3 Möhren
1 Bund Frühlingszwiebeln
200 g Shrimps
150 g Sojabohnenkeimlinge
2 Tl Sojasoße
Salz, Pfeffer
Ingwerpulver
Streuwürze
2 Eier

Reis garen. Möhren und Frühlingszwiebeln putzen, in Streifen schneiden. Im Wok 3 El Öl erhitzen und zuerst die Möhren anbraten. Nach einigen Minuten die weißen Teile der Frühlingszwiebeln mitbraten. Einige für die Dekoration zur Seite legen. Nach weiteren 3-4 Minuten die Shrimps, die grünen Teile der Frühlings-

zwiebeln und die Sojabohnenkeimlinge kurz miterhitzen. Anschließend Reis, Sojasoße und Gewürze zugeben. Eier verquirlen und in einer Pfanne in 2 El heißem Öl stocken lassen, salzen, in Streifen schneiden. Den gebratenen Reis in einer Schüssel anrichten, mit Eistreifen und restlichen Frühlingszwiebelstreifen bestreuen.

Edelfisch in Anissahne

100 g geschälte Tiefsee-
garnelen
700 g Filets von Edelfischen
(z.B. Seeteufel, Lachs,
Rotzunge)
4 El Zitronensaft
Salz, Pfeffer
¼ l Fischfond
250 ml Sahne
3 El Anis-Schnaps
¼ Tl zerstoßene Anissamen
250 g Langkornreis
1 kg Fenchel
2 El Butter
150 g Cocktailtomaten
Zitronenpfeffer

Garnelen abspülen. Fischfilets ebenfalls abspülen, trockentupfen, in große Stücke teilen. Mit 3 El Zitronensaft beträufeln, leicht salzen, pfeffern. Zusammen in eine breite, gefettete Auflaufform legen. ⅛ l Fond, Sahne und Anis-Schnaps verrühren, mit Salz, Pfeffer und Anis würzen. Auf die Hälfte sämig einkochen, in die Form gießen, mit Alufolie abdecken. Reis garen. Fenchel putzen, in Streifen schneiden, das Fenchelgrün (etwas zum Garnieren lassen) hacken und für

den Reis beiseitelegen. In der Butter mit 1 El Zitronensaft 2 Minuten andünsten, 5 Minuten ziehen lassen. Tomaten überbrühen, enthäuten, dazugeben und gerade heiß werden lassen. Abschmecken. Fische im Ofen bei 200 Grad 15-20 Minuten knapp gar dünsten. Den Reis abtropfen lassen, gehacktes Fenchelgrün untermischen. In Förmchen drücken, auf Teller stürzen, Gemüse und Fisch-Ragout dazu anrichten, mit Fenchelkraut garnieren.

Seeteufelfilet in Rieslingsoße

2 Seeteufelfilets (700 g)
Salz, Pfeffer
750 g Fenchelknollen
(mit Grün)
250 g Langkorn- & Wildreis-
Mischung
2 El Butter
1 Bund Dill
1 El Zitronensaft
2 El Anisschnaps
2 El Öl

Für die Soße:
2 Schalotten
1 El Öl
400 ml Fischfond (a.d. Glas)
250 ml Weißwein

100 ml Sahne
1-2 El Butter

Fischfilets abbrausen, trockentupfen, mit Pfeffer würzen.
Fenchel putzen. Knollen vierteln, in ½ cm dicke Scheiben
schneiden. 5 Minuten blanchieren, kalt abschrecken. Reis
garen. Für die Soße Schalotten
abziehen, fein hacken. In 1 El
Öl anschwitzen. Fischfond
und Wein angießen, ca. 20
Minuten bis auf die Hälfte einkochen, beiseite stellen. Fenchel in 1 El Butter bißfest dünsten. Feingehackten Dill

unterheben, mit Salz, Pfeffer,
Zitronensaft und Anisschnaps
abschmecken. Die Fischfilets
quer in 1-2 cm dicke Scheiben
schneiden. 1 El Butter und
2 El Öl schmelzen. Den Fisch
darin 3-5 Minuten rundherum
braten, salzen, warm stellen.
Soße durch ein feines Sieb
geben. Sahne angießen und
5 Minuten einköcheln lassen.
Eiskalte Butterstückchen
unterschlagen, abschmecken.
Fisch mit Fenchelgemüse, Reis
und Soße anrichten. Mit Dillspitzen und Fenchelgrün garnieren.

Lachsragout im Reisrand ▷

250 g Langkornreis (im
Kochbeutel)
30 g Butter
1 Döschen Safran
200 g Zucchini
1 Zwiebel
150 g Champignons
30 g Butter
⅛ l Weißwein
¼ l Fleischbrühe
200 g Crème fraîche
600 g Lachs
2 Tomaten
Salz, Pfeffer

Zitronensaft
Estragonblättchen zum
Garnieren

Reis garen. Butter in einer
Pfanne zerlassen, Safran und
gekochten Reis zufügen. Alles
vermischen, in eine gefettete
Reisrandform drücken, im
Ofen bei 50 Grad warm hal-
ten.Zwiebel fein würfeln,
Zucchini und Champignons
putzen, in feine Scheiben
schneiden. Alles in Butter

andünsten. Weißwein, Brühe
und Crème fraîche zufügen,
zugedeckt 8 Minuten kochen.
Lachs in ca. 2 cm große Würfel, Tomaten in Streifen
schneiden, in die Soße geben
und garziehen lassen. Mit Salz,
Pfeffer und Zitronensaft
abschmecken. Den Reisrand
auf eine Platte stürzen. In die
Mitte etwas von dem Ragout
füllen und mit Estragonblättchen garnieren. Restliches
Ragout getrennt dazu reichen.

Fischauflauf

250 g Langkornreis (im Kochbeutel)
500 g Möhren
500 g Fenchel
750 g Kabeljaufilet
Saft einer Zitrone
⅛ l Weißwein
125 ml Sahne
Salz, Pfeffer
75 g geriebener Käse
(z.B. Lindenberger)

Reis garen. Gemüse putzen, in feine Stifte schneiden und in wenig Wasser 10 Minuten dünsten. Fischfilet waschen, mit Zitronensaft beträufeln und in Stücke schneiden. In eine gefettete Auflaufform schichtweise Reis, Gemüse und Fischfilet hineingeben. Als letzte Schicht Reis darübergeben. Wein, Sahne, Salz und Pfeffer verquirlen und über den Auflauf gießen. 30 Minuten im Ofen bei 200 Grad garen. Käse darüberstreuen und weitere 10 Minuten goldgelb backen. Vor dem Servieren mit feingehacktem Fenchelgrün bestreuen.

Karpfen chinesische Art

2 Spiegelkarpfen (küchenfertig, à 1,2 kg)
2 Knoblauchzehen
30 g Ingwer
3 Chilischoten
5 El Sherry
6 El Sojasoße
500 g Wirsing
Salz, Pfeffer
200 g Maiskölbchen
(a.d. Dose)
3 El Öl
200 g Langkornreis
2 Tl Butter
1 El Zucker
2 El Weißweinessig
2-3 El geschälte Sesamsamen
2-3 El süß-saure Chili-Soße

Fisch innen und außen kalt abbrausen, trockentupfen. Auf beiden Seiten 3 mm tief kreuzweise einschneiden, damit die Marinade gut einzieht und der Fisch gleichmäßig gart. Knoblauch abziehen, Ingwer schälen, 2 Chilischoten entkernen, in feine Streifen schneiden. Knoblauch und 10 g Ingwer fein würfeln. Alles mit Sherry und Sojasoße in eine flache große Form geben. Fische mehrmals darin wenden, dann auf Alufolie legen, die Marinade darübergießen, Folie verschließen und mindestens 2 Stunden ziehen lassen. Wirsing putzen, waschen, in mundgerechte Stücke schneiden. In kochendem Salzwasser ca. 10 Minuten garen, abschrecken und abtropfen lassen. Maiskölbchen abtropfen lassen. Fische aus der Marinade nehmen, mit je 1 El Öl bestreichen, im Ofen 20-30 Minuten knusprig backen. Zwischendurch mit der übrigen Marinade beträufeln. Reis garen. Für das Gemüse Butter und Zukker in einer Pfanne schmelzen. Mit Essig ablöschen. Wirsing darin bißfest dünsten. Den übrigen Ingwer in feine Streifen schneiden, mit den Maiskölbchen unterheben, erwärmen, salzen und pfeffern. Sesam in 1 El Öl rösten. Sesam unterheben. Chili-Soße erwärmen, durch ein Sieb streichen. Fisch mit der Chili-Soße bestreichen, mit dem Wirsing und Reis servieren.

171

Fischfilet auf Tomatenreis

1 l Tomatensaft´
⅛ l Wasser oder Fleischbrühe
½ Tl Salz
400 g Reis
400 g Fischfilet (Rotbarsch,
Lengfisch etc.)
Mehl
1 Tomate
1 grüne Paprikaschote
100 g Butter oder Margarine
frische, gehackte Kräuter zum
Bestreuen

Tomatensaft mit Wasser und Salz aufkochen. Den gewaschenen Reis zugeben und ca. 20 Minuten nicht zu weich kochen. Fischfilet waschen, trockentupfen und in Würfel schneiden. Mit etwas Zitronensaft beträufeln, salzen, in Mehl wenden, überschüssiges Mehl abklopfen. Tomate überbrühen, enthäuten, entkernen und das Fruchtfleisch würfeln.

Paprika putzen und ebenfalls würfeln. Tomaten- und Paprikawürfel in den letzten 5 Minuten vor Ende der Garzeit des Reis zugeben. Fischwürfel im Fett 5-7 Minuten braten. Dann unter den Reis mischen und mit den Käutern garniert servieren.

Steinbuttfilet und Riesengarnelen mit Sauerampfersoße

80 g Sauerampfer
220 g weiche Butter
4 El Sahne
150 g Schalotten
50 ml Weißwein
750 ml Geflügelfond
(a.d. Glas)
250 g Risotto-Reis
(z.B. Arborio)
Salz, Pfeffer
300 g Shiitake-Pilze
12 Riesengarnelen
4 Steinbuttfilets (ohne Haut)

Sauerampfer waschen, putzen, grob hacken, mit 150 g Butter und Sahne pürieren. Im Kühlschrank fest werden lassen. Schalotten pellen, fein würfeln. Die Hälfte mit dem Weißwein und 250 ml Geflügelfond in einem kleinen Topf geben und bei starker Hitze auf ⅓ einkochen lassen. Restliche Schalotten und Reis in 60 g Butter glasig dünsten. Den restlichen Geflügelfond dazugeben, salzen, pfeffern. ca. 35 Minuten garen, ab und zu umrühren. Die Shiitake-Pilze putzen, klein würfeln und 5 Minuten vor Ende der Garzeit unter den Reis mischen. Während der Reis gart, Riesengarnelen entdarmen, waschen, trockentupfen. Garnelen und Steinbuttfilets salzen und auf ein gefettetes Backblech verteilen. Im Ofen bei 200 Grad 10 Minuten garen. Sauerampferbutter würfeln und mit einem Schneebesen nach und nach in den heißen Schalottenfond einrühren, salzen, pfeffern. Risotto mit dem Steinbutt, Garnelen und Sauerampfersoße auf vorgewärmten Tellern anrichten.

Norwegisches Fischragout

250 g Langkornreis
800 g Lengfisch- oder Rotbarschfilet
Zitronensaft
Salz, Pfeffer
1 Zwiebel
125 g Sellerie
1 Möhre
100 g Champignons
Butter zum Dünsten
30 g Mehl
⅜ l Weißwein
100 g Krabbenfleisch
100 g Sahne

1 El gehackter Dill oder
Petersilie

Reis garen, warm stellen.
Fischfilet in ca. 3 cm große
Würfel schneiden, mit Zitronensaft 10 Minuten säuern,
dann salzen. Inzwischen
Zwiebel fein hacken, Sellerie
klein würfeln, Möhre in dünne
Scheiben, Champignons feinblättrig schneiden. Alle Gemüse in Fett ca. 6 Minuten unter
Rühren andünsten. Mehl dar-

über streuen und goldgelb
werden lassen. Mit Wein und
knapp ⅜ l Wasser auffüllen
und 10 Minuten bei mäßiger
Hitze durchkochen. Pilze und
Fischstücke dazugeben, bei
schwacher Hitze ca. 12 Minuten gar ziehen lassen. Vom
Herd nehmen, die Krabben
und die Sahne unterziehen,
nochmals leicht erhitzen.
Abschmecken und mit Kräu-
tern bestreuen. Mit Reis servieren.

Reisauflauf mit Meeresfrüchten

1 Zwiebel
1 El Butter
250 g Langkorn- oder
Risotto-Reis
1 Döschen Safranfäden
½ l Gemüsebrühe
2 Knoblauchzehen
1 Bund glatte Petersilie
1 El Öl
1 TK-Pck. Meeresfrüchte
(400 g)
200 g TK-Erbsen
100 ml Weißwein (z.B. Soave)
Salz, Pfeffer
3 Eier
150 g Vollmilchjoghurt
80 ml Milch

1 Tl Mehl
200 g Mozzarella

Zwiebel abziehen, fein würfeln, in Butter anschwitzen.
Reis zufügen, glasig braten,
Safran unterrühren und die
Brühe zugießen. 15 Minuten
bei milder Hitze quellen lassen, abtropfen. Knoblauch
und Petersilie fein hacken.
Knoblauch im Öl goldgelb
dünsten, die Hälfte der Petersilie, die Meeresfrüchte und
Erbsen hinzufügen. Wein
dazugießen, 3 Minuten dünsten. Mit Salz und Pfeffer

abschmecken. Den Reis unter
die Meeresfrüchte heben, mit
einer Schaumkelle in eine
gefettete Auflaufform füllen.
Die Hälfte der Wein-Brühe
dazugießen. Eier mit Joghurt,
Milch, Mehl, Pfeffer und übriger Petersilie verquirlen. Mit
Salz abschmecken und die
Joghurt-Eier-Milch über den
Auflauf gießen. Im Ofen bei
175 Grad ca. 40 Minuten
backen. Mozzarella in Scheiben, dann in Streifen schneiden. Ca. 20 Minuten vor Ende
der Backzeit über den Auflauf
legen.

Serbischer Fischreis

1 Knoblauchzehe
1 Zwiebel
1 Stange Lauch (150 g)
50 g Margarine
200 g Arborio- oder
Risotto-Reis
½ l (Instant-)Brühe
400 g Goldbarschfilet
weißer Pfeffer
1 El gehackte Petersilie

Knoblauch und Zwiebel schälen, sehr fein würfeln. Lauch putzen, in 3 cm lange Stücke schneiden. Alles im Fett 3-4 Minuten glasig werden lassen. Dann den Reis zugeben, gut durchrühren und mit der heißen Brühe aufgießen. Bei halbgeöffnetem Deckel 25-30 Minuten köcheln lassen. Ab und zu umrühren. Das Fischfilet waschen, trockentupfen, in gleich große Würfel schneiden. Mit einigen Tropfen Zitronensaft beträufeln. In den letzten 5-8 Minuten der Kochzeit des Reis die Fischwürfel vorsichtig unterheben, aber nicht rühren. Temperatur ganz klein stellen und das Gericht langsam fertig garen. Eventuell etwas Salz zufügen, pfeffern und mit Petersilie bestreut servieren.

Zitronen-Heilbutt in Weinsoße

4 Koteletts vom Schwarzen
Heilbutt
Saft und Schale einer unbehandelten Zitrone
800 g frischer Blattspinat
1 Knoblauchzehe
Salz, Pfeffer
250 g Basmati- oder Langkorn-Reis
2 Tomaten
2 El Butter
50 g durchwachsener Räucherspeck
8 Salbeiblätter
100 ml Weißwein
1 El Pinienkerne

Fisch waschen, trockentupfen. Schale der Zitrone abreiben, Saft auspressen. Fisch mit dem Zitronensaft beträufeln. Spinat waschen, verlesen, dicke Blattstiele entfernen. Knoblauch abziehen, durchdrücken. Spinat kurz in kochendem Salzwasser aufwallen lassen, kalt abschrecken. Reis garen. Tomaten überbrühen, enthäuten, entkernen und in Würfel schneiden. 1 El Butter schmelzen, Knoblauch und Spinat dazugeben, salzen, pfeffern und kurz dünsten. Speck in dünne Streifen schneiden, auslassen. Speckstreifen aus der Pfanne nehmen, abgeriebene Zitronenschale und übrige Butter ins Speckfett geben, den Fisch mit den Salbeiblättchen darin braten. Fisch aus der Pfanne nehmen. Bratfond mit Wein ablöschen, kurz einköcheln lassen. Fisch und Speckstreifen nochmals in die Soße geben, kurz ziehen lassen, mit Salz und Pfeffer abschmecken. Pinienkerne grob hacken, unter den Spinat heben, abschmecken. Den Reis abgießen, Tomaten unter den Reis heben, salzen, pfeffern. Die Fischkoteletts mit Soße, Salbeiblättchen, Reis und Spinat dekorativ angerichtet servieren.

Muschelragout mit Reis

▷

250 g Reis
1 Bund Suppengemüse
(ca. 200 g)
2 El Öl
¾ l Fleischbrühe
2 - 2,5 kg Miesmuscheln
250 ml Sahne
200 g küchenfertige Shrimps
oder Krabben
Zitronensaft
Salz
Pfeffer
Worchestersoße

Reis garen. Suppengemüse putzen, kalt abspülen, kleinschneiden. Tropfnaß im erhitzten Öl anrösten, die Brühe zugießen, salzen und 10 Minuten kochen lassen. Muscheln säubern, in die kochende Brühe geben und so lange kochen, bis sich die Muscheln öffnen. Damit die Muscheln gleichmäßig gar werden, den Topf gelegentlich rütteln. Muschelfleisch aus den Schalen lösen, beiseitestellen. Die Brühe bis auf knapp ¼ l einkochen lassen. Sahne in einem kleinen Topf auf ⅔ einkochen, dann zur Gewürzbrühe geben. Die dünnflüssige Soße mit Zitronensaft, Worchestersoße, Salz und Pfeffer kräftig abschmekken. Muschelfleisch und Shrimps einlegen, warm werden lassen, dann sofort mit Reis dazu servieren.

Gebratene Schleie mit chinesischem Gemüse

2 Portionen

125 g Reis
1 Stange Lauch
2 Möhren
150 g frische Litschis
150 g Sojabohnensprossen
2 Schleienfilets (à 200 g)
1 El Zitronensaft
Salz, Pfeffer
4 El Sonnenblumenöl
1 El Sesamöl
3 El Sojasoße
2 El Weißweinessig
je 1 Msp. Ingwer-, Koriander-
und Galgantpulver

Reis garen. Lauch putzen, längs halbieren, schräg in ca. 2 cm breite Streifen schneiden. Möhren schälen, in dünne Streifchen schneiden. Litschis schälen, halbieren. Sojabohnensprossen abbrausen, abtropfen lassen. Schleienfilets abspülen, mit Küchenpapier abtrocknen und die Fischfilets mit Zitronensaft beträufeln, mit Salz und Pfeffer bestreuen. Möhren in 2 El Sonnenblumenöl unter Wenden 1 ½ Minuten anbraten. In einer zweiten Pfanne die Fischfilets im Öl ca. 2 Minuten braten. Lauch unter die Möhren mischen, 1 Minute weiterbraten, dabei immer wieder wenden. Litschis und Sojabohnensprossen unterheben, ½ Minute mitbraten, Hitze herunterschalten, Sesamöl, Sojasoße und Weinessig unterrühren. Das Gemüse mit Salz, Ingwer-, Koriander- und Galgantpulver abschmecken. Auf Teller geben, die Fischfilets dazwischen betten und zum Reis servieren.

Räucherfisch-Reis-Topf ▷

500 g geräucherter Rotbarsch
3 El Öl, Salz
1 Zwiebel
200 g Langkornreis
¾ l Fleischbrühe
1 El Currypulver
1 Prise Chilipulver
20 g Butter
1 Bund Dill

Zwiebel schälen, in Scheiben schneiden, im Öl 5 Minuten glasig dünsten. Den Reis dazugeben und unter Rühren 5 Minuten rösten. Heiße Fleischbrühe dazugießen. Mit Salz, Curry- und Chilipulver würzen. Umrühren und 25 Minuten bei schwacher Hitze garquellen lassen. Den gehäuteten und filetierten Rotbarsch in mundgerechte Stücke teilen und vorsichtig unter den Reis heben. Die Butter in Flöckchen gleichmäßig darauf verteilen und alles 5 Minuten erhitzen. Mit Dill bestreuen und sofort servieren.

Riesengarnelen auf Safranreis

6 - 8 Portionen

Für die Gewürzpaste:
30 g frische Ingwerwurzel
6 Knoblauchzehen
3 grüne Kardamomkapseln
1 El Kokosraspeln
4-5 rote Chilischoten
50 g Cashewkerne
1 Tl Rosinen
¼ Tl Kurkuma
4 Nelken, 5 El Öl
4 schwarze Pfefferkörner
¼ Tl geriebene Muskatnuß
¼ Zimtstange
3 El Koriander
1 Tl Kreuzkümmel
1 kg Zwiebeln (in Scheiben)

Für den Reis:
300 g Basmati-Reis
2 Kapseln Safranpulver
2 El Milch
200 g Butter

3 grüne Kadamomkapseln
3-4 Gewürznelken
½ Tl Kreuzkümmel
½ Tl Salz

Für die Riesengarnelen:
24 Riesengarnelen (ohne Kopf), Salz
½ Tl Kurkuma
½ Tl Chilipulver
5 El Öl

Für die Gewürzpaste Ingwer würfeln, Knoblauch pellen, Kardamomkörner aus der Schale brechen, mit den übrigen Zutaten (bis auf die Zwiebeln) und 2-3 El Wasser pürieren. Zwiebelscheiben im Öl goldbraun braten, mit dem Gewürzpüree mischen. 5 Minuten weiterbraten, warm stellen. Reis abspülen, gut abtropfen lassen. Safran mit Milch verrühren. Butter in einem Topf erhitzen. Kardamom mit Schale, Nelken, Kreuzkümmel und Reis dazugeben und 6-7 Minuten unter Rühren glasig dünsten. Mit 600 ml Wasser aufkochen, mit der Safran-Milch und Salz würzen. 15 Minuten geschlossen ausquellen lassen, vom Herd nehmen, nach 2 Minuten Deckel entfernen. Garnelen aus der Schale brechen, entdarmen, mit der Mischung aus Salz, Kurkuma und Chili würzen, portionsweise in ca. 6-7 Minuten im Öl braten. Warm stellen. Reis, Gewürzpaste und Garnelen auf eine vorgewärmte Platte schichten. Bratfond mit 2 El Wasser lösen und darübergießen.

Paëlla

▷

6 Portionen

500 g Tintenfischringe
1 Hähnchen (in Stücke
geschnitten)
4 El (Soja-)Öl
1 Brühwürfel
375 g Reis
1 Msp. Safran
300 g TK-Erbsen
Paprika aus dem Glas
1 Röhrchen grüne Oliven
200 g Muschelfleisch
200 g Shrimps

Tintenfischringe und Hähnchenstücke in 2 El Öl anbraten. Etwas Würfelbrühe dazugeben und ca. 10 Mintuen garen. Warm stellen. Reis körnig kochen, abtropfen lassen. Safran in einer flachen, feuerfesten Form in 2 El Öl zergehen lassen, den Reis darin schwenken, bis er gelb ist. Erbsen 5 Minuten garen, abgießen und mit in Streifen geschnittenem Tomatenpaprika und Oliven zum Reis geben. Zum Schluß Muscheln und Shrimps unter den Reis mischen, die Hähnchenstücke und Tintenfischringe darauf anrichten. Für 5 Minuten bei 225 Grad in den Ofen geben. Nach Belieben mit Kräutern garniert servieren.

Seelachs mit Salbei und Schinken

2 Zucchini
Salz, Pfeffer
1-2 El Olivenöl
5 El Sahne
3 El geriebener Käse
4 Seelachsfilets (à ca. 170 g)
4 Scheiben roher Schinken
(z.B. Parmaschinken)
14 Salbeiblätter
1 El Mehl
2 El Butter(-schmalz)
50 ml Wein
1 El Zitronensaft
1-2 El kalte Butter
250 g Langkorn- & Wildreis-
Mischung

Zucchini waschen, in 2 mm dicke Scheiben schneiden. Kurz blanchieren, abschrekken. Dachziegelartig in eine flache, gefettete Gratinform schichten, mit Olivenöl beträufeln, salzen, pfeffern, mit Sahne beträufeln und mit Käse bestreuen. Im Ofen bei 225 Grad ca. 15 Minuten backen. Reis garen, warm stellen. Fischfilets trockentupfen. quer halbieren, salzen und pfeffern. Schinkenscheiben halbieren. Jedes Fischstück mit Schinken und einem Salbeiblatt belegen, mit Holzstäbchen feststecken. Fischfilet auf der Unterseite mit Mehl bestäuben. Fisch im Schmalz von jeder Seite 3 Minuten braten. Aus der Pfanne nehmen. Übrige Salbeiblätter in die Pfanne geben, Wein angießen, aufkochen. Mit etwas Zitronensaft, Salz und Pfeffer abschmecken, Butter flöckenweise einrühren. Fischfilets mit der Soße und dem Zucchinigratin servieren. Dazu den Wildreis nach Belieben garniert reichen.

Lachskotelett in Safransoße

▷

200 g Langkorn- & Wildreis-
Mischung
2 Zwiebeln
25 g Butter
¼ l Weißwein
1 Lorbeerblatt
2 Nelken
Salz, Pfeffer
4 Lachskoteletts (à 160 g)
Saft einer Zitrone
15 g Mehl
1 Tütchen Safran
100 g Shrimps
125 ml Sahne
2 große Fleischtomaten

400 g TK-Erbsen
1 El Öl
Muskat

Reis garen. Zwiebeln würfeln, die Hälfte davon in etwas Butter anschwitzen. Mit ⅛ l Weißwein auffüllen und Lorbeerblatt, Nelke und eine Prise Salz dazugeben. Lachskoteletts mit Zitronensaft beträufeln, salzen und im Weißweinsud 10-15 Minuten garen. Restliche Zwiebelwürfel in restlicher Butter anschwitzen, mit Mehl bestäuben, Safran und Shrimps dazugeben. Mit restlichem Weißwein und Sahne auffüllen. Die Soße mit Salz und Pfeffer kräftig abschmecken. Fleischtomaten vierteln, das Innere entfernen, das Tomatenfleisch in Würfel schneiden. Zusammen mit den Erbsen in Öl anschwitzen und mit Salz, Pfeffer und Muskat abschmecken. Reis mit den Lachskoteletts und der Safransoße zusammen, mit Dill garniert, servieren.

Seelachs in Currysoße

600 g Seelachsfilet
Salz, Pfeffer
2 El Zitronensaft
3 Stangen Lauch
2 Nektarinen
250 g Langkornreis
2 El Öl
1 El Currypulver
150 ml Gemüsebrühe oder
Fischfond a.d. Glas
200 ml Sahne
1 El Butter

Fischfilet waschen, trockentupfen, leicht mit Salz und Pfeffer würzen. Mit Zitronensaft beträufeln. Lauch putzen, schräg in 3 cm lange Stücke schneiden. 2 Minuten blanchieren, kalt abschrecken. Nektarinen waschen, halbieren, Steine entfernen, das Fruchtfleisch in dünne Spalten schneiden. Reis garen. Fisch im Öl auf jeder Seite ca. 4 Minuten braten, aus der Pfanne nehmen, warm stellen. Pfanne vom Herd nehmen, in das Pfannenfett Currypulver einstreuen und sofort mit Brühe und Sahne ablöschen. Wieder erhitzen und die Soße sämig einköcheln. Lauch in Butter mit etwas Wasser bißfest dünsten, mit Salz und Pfeffer abschmecken, zum Schluß die Nektarinenspalten unterheben. Soße mit Salz, Pfeffer und Currypulver abschmecken. Mit den Fischfilets, Reis und Lauchgemüse anrichten.

Schollenfilet mit dreierlei Soßen ▷

½ Zitrone
12 Schollenfilets (à 50 g)
Salz, Pfeffer
1 Zwiebel, 1 Nelke
1 El Butter
¼ l Weißwein
1 Lorbeerblatt
4 Pfefferkörner
200 g Langkorn- & Wildreis-
Mischung

Für die Zitronen-Pfeffer-Butter:

½ Zitrone
2 Eigelb
2 El Weißwein
1 g Safranfäden
100 g Butter
1 Tl rosa Pfeffer
2 El gehackte Petersilie
Salz, Pfeffer

Für die Estragon-Tomaten-Soße:

2 Schalotten
20 g Butter
1 El Estragonblätter
1 kleine Dose Tomaten
1 El Weißwein
Salz, Pfeffer

Für die Dillsoße:

15 g Butter
20 g Mehl
100 ml Weißwein (z.B. Riesling)
50 g Räucherlachs
1 Bund Dill
50 g Crème double
1 Tl Pernod
Salz, Pfeffer

Für die Zitronen-Pfeffer-Butter die Zitrone auspressen. Eigelb mit Weißwein, Zitronensaft und Safranfäden in einem Topf bei mittlerer Hitze aufschlagen. Nicht kochen lassen. Butter separat schmelzen und langsam in die aufgeschlagene Eimasse rühren. Rosa Pfeffer und Petersilie zugeben, mit Salz und Pfeffer abschmecken. Für die Estragon-Tomaten-Soße Schalotten abziehen und in kleine Würfel schneiden. Butter erhitzen, Schalottenwürfel darin anschwitzen. Gewaschene, fein geschnittene Estragonblätter mit den Dosentomaten und restlichen Zutaten zugeben. Einmal kurz aufkochen lassen, mit Salz und Pfeffer abschmecken. Für die Dillsoße Butter in einem Topf schmelzen und das Mehl einrühren. Wein angießen und erhitzen. Räucherlachs in feine Würfel schneiden. Dill waschen, sehr fein schneiden und zusammen mit den Räucherlachswürfeln in die Soße rühren. Mit Crème double verfeinern, mit Pernod, Salz und Pfeffer abschmecken. Alles warm stellen. Für die Schollenfilets Zitrone auspressen, Filets damit beträufeln und salzen. Jeweils drei Filets zu einem Zopf zusammenlegen. Zwiebel abziehen, würfeln und in Butter anschwitzen. Wein angießen, Lorbeerblatt, Nelke und Pfefferkörner zugeben. Schollenzöpfe hineinlegen und bei geringer Hitze 15 Minuten garen. Reis zubereiten. Schollenzöpfe aus der Brühe nehmen, leicht pfeffern und mit dem Reis und den drei Soßen anrichten.

Karpfen mit Puszta-Reis-Küchlein

1 küchenfertiger Karpfen
(ca. 1 kg)
Salz
100g durchwachsener Speck
3 El Butter
Saft einer Zitrone
2 Zwiebeln
2 Lorbeerblätter
1 El rosa Pfefferkörner
⅛ l Weißwein
3 rote Paprikaschoten
Cayennepfeffer
2 Pck. „Ungarische Reis-
spezialität"
3 Eier
3 El Paniermehl
Fett zum Braten

Karpfen waschen, trockentupfen, innen und außen mit Salz einreiben. Speck in feine Streifen schneiden, den Karpfen damit spicken. Karpfen in eine gefettete Auflaufform geben, mit Zitronensaft beträufeln. Zwiebeln abziehen, in Ringe schneiden und mit Lorbeerblättern und Pfefferkörnern über den Karpfen verteilen. Weißwein angießen. Butter in Flöckchen auf den Karpfen setzen, zugedeckt im Ofen bei 175 Grad ca. 25 Minuten garen lassen. Fünf Minuten vor Ende der Garzeit den Deckel abnehmen. Paprikaschoten putzen, in grobe Stücke schneiden. In kochendem Wasser ca. 20 Minuten garen, dann pürieren und durch ein Sieb passieren. Paprikapüree mit Salz und Cayennepfeffer würzen, warm stellen. Reis zubereiten. Eier und Paniermehl unter den gegarten Reis mischen. Fett in einer Pfanne erhitzen, nach und nach gleichgroße kleine Küchlein backen. Karpfen filetieren und mit den Reis-Küchlein anrichten. Paprikapüree dazu reichen.

Seezungenröllchen in Hummersoße

8 Seezungenfilets (á 80 g)
100 g (TK-)Krabben
2 Zweige Estragon
Salz, Pfeffer
Saft einer Zitrone
250 g Langkornreis
2 Schalotten
1 El Butter
125 ml Fischfond
(a.d. Glas)
4 El Weißwein
1 Prise Zucker
1 Würfel Hummer-Suppen-
Paste (50 g)

Fischfilets abspülen, trockentupfen. Krabben auftauen lassen. Estragonzweige waschen, Blättchen abzupfen. Filets mit Salz und Pfeffer würzen, mit Zitronensaft beträufeln und mit einigen Estragonblättchen belegen. Filets aufrollen, mit kleinen Holzspießen zusammenstecken. Reis garen. Schalotten abziehen, fein würfeln, in der Butter glasig werden lassen. Fischröllchen hineinsetzen. Dann den Fischfond, Weißwein und Zucker hinzufügen, bei schwacher Hitze zugedeckt 7-8 Minuten dünsten. Röllchen vorsichtig herausnehmen, warm halten. Für die Soße den Kochsud durch ein Sieb gießen. Hummer-Suppen-Paste hineingeben, unter Rühren aufkochen lassen. Krabben zufügen, in der Soße erhitzen. Reis mit den Seezungenröllchen und der Hummer-Soße anrichten. Mit restlichen Estragonblättchen garnieren.

Möhren-Reis-Pudding mit Fischragout

4 - 6 Portionen

Für den Pudding:
Fett und Semmelbrösel
für die Form
250 g Naturreis
1 El Distelöl
½ l Gemüsebrühe
400 g Möhren
Salz, Pfeffer
4 Eigelb
2 El Crème fraîche
2 Msp. Ingwer
2 Eiweiß

Für das Fischragout:
500 g Rotbarschfilet
2 El Zitronensaft
1 kleine Stange Lauch
1 Zwiebel
1 El Butter
¼ l Gemüsebrühe
je 12 Bund Petersilie,
Dill und Schnittlauch
5 El Crème fraîche
Salz, Pfeffer
1 Eigelb

Puddingform (1,5 l) und Deckel gut fetten, kalt stellen. Danach nochmals fetten, mit Semmelbröseln ausstreuen, kalt stellen. Reis abbrausen, abtropfen lassen. Im Öl glasig werden lassen. Mit der Gemüsebrühe ablöschen, aufkochen. 45 Minuten ausquellen lassen. Möhren putzen, in Scheiben schneiden, in wenig Salzwasser 10 Minuten dünsten, gut abtropfen lassen, dann pürieren. Eigelb verquirlen, mit Reis und Möhrenpüree mischen. Crème fraîche unterrühren, mit Salz, Pfeffer und Ingwer abschmecken. Eiweiß steif schlagen und vorsichtig unter die Mischung ziehen. Die Masse in die Puddingform füllen, glattstreichen. Mit dem Deckel verschließen und in einen großen Topf stellen. Wasser halbvoll angießen, aufkochen, zugedeckt 70 Minuten bei milder Hitze garen. Fisch

kurz abbrausen, trockentupfen und in grobe Stücke schneiden. Mit 1 El Zitronensaft beträufeln. Lauch putzen, in 1,5 cm lange Stücke schneiden. Zwiebel fein würfeln und mit dem Lauch im Fett 5 Minuten andünsten. Lauch herausnehmen, beiseite stellen. Brühe angießen und aufkochen lassen. Kräuter waschen. Einige Dillspitzen zum Garnieren zurückbehalten, den Rest fein hacken. Crème fraîche in die Brühe einrühren, 10 Minuten einkochen lassen. Fisch und Lauch in die Gemüsebrühe geben, nochmals 3 Minuten köcheln lassen. Ragout abschmecken. Mit Eigelb legieren und die Kräuter zufügen. Nicht mehr kochen lassen. Pudding aus dem Wasserbad nehmen, 10 Minuten in der Form abkühlen lassen. Vor dem Stürzen den Rand des Puddings mit einem Messer lösen.

Chinesische Fischspieße süß-sauer ▷

200 g Naturreis
1 El Öl
350 g Krebsfleisch
1 Glas Fleischpfannen-Fix
„Chinesisch süß-sauer"

Reis zubereiten. Öl in einer Pfanne erhitzen, das Krebsfleisch von allen Seiten anbraten, auf kleine Holzspießchen stecken. Fleischpfannen-Fix

unter Rühren erhitzen. Fischspießchen mit der Soße auf Teller anrichten, mit geraspelter Limettenschale garnieren. Dazu den Naturreis servieren.

Singapur-Reispfanne

300 g Basmati & Thai-Reis
200 g (TK-)Prinzeßbohnen
Salz
2 Knoblauchzehen
1 Avocado
2 El Zitronensaft
2 El gehackte Petersilie
3 El Öl
80 g Cashewkerne
250 g gekochte Krabben
3 El helle Sojasoße
Cayennepfeffer

Reis garen. In der Zwischenzeit Bohnen putzen, in ca. 5 cm lange Stücke schneiden. In kochendem Salzwasser fünf Minuten vorgaren, dann eiskalt abschrecken, gut abtropfen lassen. Knoblauchzehen fein hacken. Avocado schälen, halbieren, in Würfel schneiden und mit Zitronensaft vermischen. Cashewkerne im Öl goldgelb rösten. Bohnen und Knoblauch dazugeben und unter Rühren braten, Reis dazugeben und mitbraten. Avocadowürfel und Krabben untermischen. Mit Salz, Sojasoße und Cayennepfeffer abschmecken und mit Petersilie bestreut servieren.

Zander mit Tomatenreis

je 2 gelbe und rote
Paprikaschoten
4 El Öl
1 Zwiebel
2 El Butter
125 ml Weißwein
125 ml Sahne
Salz
Pfeffer
400 ml Gemüsebrühe
2 Lorbeerblätter
250 g Risotto-Reis
300 g Tomaten
600 g Zanderfilet
Zitronensaft

Paprika putzen, in Stücke schneiden. Öl auf zwei Töpfe verteilen, erhitzen, Paprikastücke getrennt bei milder Hitze ca. 15 Minuten dünsten, dann pürieren und durch ein feines Sieb streichen. Zwiebel fein würfeln, in 1 El Fett andünsten. Weißwein und Sahne dazugeben, 5 Minuten köcheln lassen. Die Soße auf zwei Töpfe verteilen und jeweils mit dem gelben und roten Paprikapüree verrühren. Mit Salz und Pfeffer abschmecken.

Gemüsebrühe mit Lorbeerblättern zum Kochen bringen. Reis quellen lassen. Tomaten überbrühen, enthäuten, entkernen und in kleine Würfel schneiden. In den letzten 3 Minuten zum Reis geben. Lorbeerblätter entfernen, abschmecken. Fisch waschen, trockentupfen, mit Zitronensaft beträufeln. Im übrigen Fett von jeder Seite 5 Minuten braten, leicht salzen. Paprikasoßen einmal aufkochen lassen, mit dem Fisch zum Reis anrichten.

Scampispieße auf Curryreis

2 Portionen

1 kleiner Blumenkohl
300 g grüne Bohnen
1 El Butter
50 g Kokosflocken
Salz, Pfeffer
1 l Brühe
1 Tl Currypulver
1 Pck. „Indische Reis-
spezialität"
8-10 Scampis
4 El Öl

Blumenkohl waschen, putzen, in kleine Röschen teilen. Bohnen waschen, die Enden abschneiden, in ca. 3-4 cm lange Stücke schneiden, in der Butter mit den Kokosflocken 10 Minuten dünsten. Mit Salz und Pfeffer würzen. In der Zwischenzeit Blumenkohlröschen in der Brühe mit dem Currypulver 3-4 Minuten bißfest garen. Gemüse warm stellen. Reis zubereiten. Scampi mit Pfeffer und etwas Currypulver würzen, auf zwei Spieße stecken und im Öl von beiden Seiten anbraten. Scampispieße auf dem Reis servieren. Das Gemüse dazureichen.

Fischgulasch asiatische Art

600 g Fischfilet (z.B. Rotbarsch, Seelachs, Kabeljau)
Salz, Pfeffer
2 El Zitronensaft
50 g durchwachsener Speck
2 Zwiebeln
2 Knoblauchzehen
1 grüne Paprikaschote
2 Möhren
3 Bundzwiebeln
2 Tomaten
250 g Reis (im Kochbeutel)
1 El Öl

1 Prise Zucker
1-2 El Sojasoße

Fischfilet würfeln, salzen und in Zitronensaft wenden. Speck sehr fein würfeln. Zwiebeln und Knoblauch fein hacken. Paprikaschote putzen, in kleine Stücke schneiden, Möhre in kurze dünne Stifte schneiden. Bundzwiebeln putzen, schräg in 4 oder 5 Stücke teilen. Tomaten überbrühen, enthäuten, grob hacken. Den Reis garen und warm stellen. Inzwischen Speck mit Öl auslassen. Zwiebeln und Knoblauch darin glasig dünsten. Restliches Gemüse unterrühren und andünsten. Mit $\frac{1}{8}$ l Wasser ablöschen, mit Salz, Pfeffer, Zucker und Sojasoße würzen. Fischwürfel zum Gemüse geben, alles zugedeckt noch 10 Minuten garen. Mit dem Reis servieren.

Fritierter Fisch indonesische Art ▷

600 g Fischfilet
Zitronensaft
5 El Sojasoße
2 El (Sherry-)Essig
½ Tl Chinesische
5-Gewürzmischung
1 Msp. Sambal oelek
100 g Speisestärke
Fett zum Fritieren
250 g Langkorn-Reis

2 El Pinienkerne
2 Gläser Fleischpfannen-Fix
„Indisch Curry"

Fischfilet waschen, trockentupfen, mit Zitronensaft beträufeln und in Streifen schneiden. Aus Sojasoße, Essig, Gewürzmischung und Sambal oelek eine Marinade rühren, den Fisch ca. 30 Minuten darin marinieren. Fisch in Stärke wälzen, im Fett fritieren und warm stellen. Reis garen. Pinienkerne ohne Fett rösten, unter den gegarten Reis mischen. Fleischpfannen-Fix erhitzen und mit Pinienkern-Reis und fritierten Fischstreifen auf Tellern anrichten.

Scholle mit Garnelenfüllung und Sesamkruste

250 g Langkornreis
4 Schollen (à 400 g)
8 Riesengarnelen
1 El Limettensaft
1 Tl gehackter Knoblauch
1 Tl gehackter Ingwer
2 El Sojasoße
Salz
Cayennepfeffer
1 Bund Frühlingszwiebeln
15 g chinesische Morcheln
2 ½ El Öl
1 ½ El Sesam (geschält)
100 g Knollensellerie
100 g Möhren
1 Bund Schnittlauch

Köpfe und Flossen der Schollen abschneiden. Haut auf der dunklen Seite abziehen. Längs bis zur Mittelgräte einschneiden. Das Fleisch links und rechts vom Schnitt so weit von der Gräte lösen, daß eine Tasche entsteht. Garnelen vom Kopf befreien, aus der Schale brechen, der Länge nach auf der Oberseite einschneiden, den Darm herausziehen. Garnelen hacken, mit Limettensaft, Knoblauch, Ingwer, 1 El Sojasoße, Salz und Cayennepfeffer mischen. 1 Frühlingszwiebel fein hacken. Alles zusammen mit einem breiten Messer zerdrücken. Die Schollen leicht von innen und außen salzen. Mit der Garnelenfarce füllen. Morcheln in reichlich lauwarmem Wasser einweichen. Reis garen, warm stellen. Die Saftpfanne mit 1 El Öl fetten, Schollen daraufflegen, mit Öl bepinseln und mit Sesam bestreuen. 12 Minuten bei 200 Grad abgedeckt garen. Der Saft soll nach dieser Garzeit noch in der Scholle stehen. Inzwischen restliche Frühlingszwiebeln, Sellerie und Möhren putzen, in dünne Streifen, Schnittlauch in Röllchen schneiden. Schollen nach 12 Minuten auf die oberste Einschubleiste setzen und 5 Minuten unterm Grill bräunen. Inzwischen 1 El Öl sehr heiß werden lassen, das Gemüse 2-3 Minuten darin braten, dabei umrühren. Morcheln abtropfen lassen, untermischen. Mit restlicher Sojasoße und Salz würzen. Gemüse mit Schnittlauch mischen, auf der Saftpfanne verteilen. Reis dazu reichen.

Schollenfilet auf Spinat

1 Portion

30 g Naturreis
200 ml Gemüse-Hefebrühe
2 Schollenfilets
2 El Zitronensaft
Kräutersalz
1 El Crème fraîche
200 g Spinat
1 Zwiebel
1 El Butter
10 g Pinienkerne
3 Kirschtomaten oder
1 große Tomate

Reis in 50 ml Brühe garen. Fischfilets waschen, säuern, salzen und ca. 10 Minuten ziehen lassen. In der restlichen Brühe 5 Minuten dünsten. Herausnehmen, warm stellen, die Brühe einkochen lassen. Mit Pfeffer und Crème fraîche abschmecken. Spinat waschen, verlesen und tropfnaß in einem Topf zusammenfallen lassen. Spinat grob hacken. Zwiebel schälen, fein hacken und in der Butter glasig dünsten. Spinat zufügen. Pinienkerne rösten., Ein Fischfilet auf einen Teller legen, Spinat darübergeben, mit einem zweiten Fischfilet abdecken. Zum Schluß die Soße darübergeben, mit Pinienkernen bestreuen und dazu den Reis und die Tomaten servieren.

Reisring mit Krabben und Spinat

300 g TK-Blattspinat
200 g Tiefseekrabben
1 Zwiebel
250 g Reis (im Kochbeutel)
2 El Butter
Salz, Pfeffer
3 Becher Vollmilchjoghurt
1 Bund Petersilie
1 Knoblauchzehe
2-3 Tl Forellenkaviar

Blattspinat und evtl. Tiefseekrabben auftauen. Spinat ausdrücken, grob hacken. Zwiebel fein hacken. Reis zubereiten, warm stellen. Zwiebel im Fett glasig dünsten. Spinat zufügen, andünsten. Mit Salz und Pfeffer würzen. Die Krabben in die Pfanne geben, unter den Spinat mischen und heiß werden lassen. Joghurt in einer Schüssel glattrühren. Petersilie sehr fein hacken. Knoblauchzehe schälen und durchdrücken. Beides zum Joghurt geben. Die Soße erwärmen, nicht kochen lassen. Mit Salz und Pfeffer würzig abschmecken. Den Reis in eine gefettete Ringform drücken und stürzen. Die Spinat-Krabben-Mischung in den Reisring füllen. Etwas von der Soße obenaufgeben, den Rest getrennt dazu servieren. Den Reisring mit Forellenkaviar bestreuen.

Garnelen auf Brokkoli-Wildreis ▷

12 rohe mittelgroße Garnelen
in der Schale oder Garnelen-
schwänze
Pfeffer
3 El Butter(-schmalz)
1 l Fleischbrühe
einige Dillzweige
4 kleine rohe Hummer
(à 500 g)

Für die Soße:
⅛ l Weißwein
200 ml Fischfond
2 cl Wermut extra dry
1 Becher Crème fraîche
Salz, Pfeffer
½ Tl Currypulver
1 El kalte Butter

außerdem:
100 g Wildreis

300 g Brokkoli
2 El Butter
1 El Mandelblättchen

Wildreis garen. Für die Soße
den Weißwein in einem Stiel-
topf etwas einkochen lassen,
Fischfond dazugießen, Flüssigkeit nochmal durch Aufko-
chen reduzieren. Wermut zugießen und einkochen. Crème
fraîche dazugeben, ebenfalls
einkochen lassen. Soße mit
Currypulver, Pfeffer und Salz
abschmecken. Dabei darf die
Soße nicht mehr kochen.
Nach Belieben noch etwas
kalte Butter unterrühren.
Brokkoli waschen, in sehr
kleine Röschen teilen, in wenig Salzwasser mit etwas But-

ter 5 Minuten bißfest garen.
Abtropfen lassen und mit dem
gegarten Wildreis mischen.
Zum Schluß mit Butter und
Mandelblättchen verfeinern.
Zwischendurch Garnelen waschen, in der Schale vom
Rücken her aufschneiden,
nicht ganz durchschneiden.
Darm abziehen. Garnelen in
das heiße Fett geben, von jeder Seite ca. 2 Minuten braten.
Mit Pfeffer bestreuen. Auf
einer vorgewärmten Schale
mit Zitronenschnitzen anrichten. Wildreis und Sahnesoße
dazu reichen.

Garnelenspieß mit Dillreis

250 g Langkornreis (im
Kochbeutel)
1 El Brühepulver
1 Bund Dill
1 Knoblauchzehe
3 El Öl
8 TK-Garnelenspieße
1 Würfel Hummersuppenpaste
(50 g)
3 El Sahne

2-3 El Weißwein
1 El Butter

Reis mit dem Brühepulver
20 Minuten kochen. Dill waschen, hacken. Knoblauch
abziehen, hacken, im Öl anbraten. Garnelenspieße dazugeben, von jeder Seite 3 Minuten braten, herausnehmen.

Hummerpaste, 250 ml Wasser
und die Sahne in die Pfanne
geben, aufkochen. Wein einrühren, abschmecken, die
Spießchen einlegen. Reis in
eine Schüssel geben, mit dem
Dill und der Butter vermischen. Garnelenspieße auf
Tellern mit Reis und Soße servieren.

Wildlachs-Zucchini-Ragout

▷

250 g Langkorn- & Wildreis-Mischung
600 g Lachsfilet
400 g Zucchini
8 Tomaten
60 g Butter
¼ l Weißwein
¼ l Fischfond (a.d. Glas)
3 Schalotten
1 Bund Basilikum
2 El Olivenöl
Salz, Pfeffer
1 Becher Crème fraîche

Für die Soße Weißwein und Fischfond mit 2 feingewürfelten Schalotten aufkochen, auf die Hälfte einkochen. Tomaten überbrühen, enthäuten, entkernen. Ein Drittel in feine Würfel schneiden und für den Reis zurückbehalten. Lachsfilet in grobe Würfel schneiden. Zucchini ebenfalls in Würfel schneiden, in der Butter 3-4 Minuten dünsten. Tomaten- und Lachswürfel dazugeben, 3 Minuten zugedeckt garen, Crème fraîche unterrühren. Den Reis garen. Restliche Schalottenwürfel im Öl glasig dünsten, Tomatenwürfel zufügen, kurz mitgaren. Zusammen mit feingeschnittenem Basilikum unter den Reis mischen.

Rotbarschfilet mit Tomatenragout

500 g Tomaten
50 g schwarze Oliven
1 Zwiebel
1 Knoblauchzehe
4 El Olivenöl
1 El Thymian
10 ml (Instant-)Brühe
Salz, Pfeffer
4 Rotbarschfilets (á 150-180 g)
½ Tl Zucker
1 El Mehl
1-2 Tl Kapern
250 g Langkornreis

Reis garen. Tomaten überbrühen, enthäuten, achteln und entkernen. Oliven entsteinen, achteln. Zwiebel und Knoblauch abziehen, fein hacken, in 1 El Olivenöl andünsten. Tomaten und Thymian dazugeben, kurz köcheln, dann die Brühe angießen, Oliven dazugeben, salzen, pfeffern und kurz köcheln lassen. Fischfilet trockentupfen, mit Salz, Pfeffer und Zucker würzen, mit Mehl bestäuben. Übriges Öl erhitzen, Filets einlegen, auf jeder Seite ca. 4 Minuten braten. Kapern in das Tomatenragout geben, nochmals abschmecken und zum Reis und Fisch servieren.

Seezungenfilet mit Wildreisküchlein ▷

100 g Wildreis
Salz, Pfeffer
400 g Seezungenfilet
3 El Zitronensaft
1 Zwiebel
10 g Butter
200 ml Fischfond (a.d. Glas)
200 ml Sahne
2 Eigelb
1 Bund Dill
3 Eiweiß
2 El Öl
Dill und Zitrone zum
Garnieren

Wildreis in kochendes Salzwasser geben, ca. 40 Minuten ausquellen lassen. Seezungenfilets waschen, mit Zitronensaft beträufeln. Zwiebel schälen, fein würfeln. Im Fett glasig dünsten. Mit dem Fond und der Sahne ablöschen, auf die Hälfte einkochen lassen. Eigelb verquirlen und in die nicht mehr kochende Soße rühren. Dill waschen, fein hacken und zur Soße geben. Mit Salz und Pfeffer

abschmecken. Seezungenfilets in kochendes Salzwasser legen, ca. 4 Minuten ziehen lassen. Reis abtropfen lassen, mit Eiweiß, Salz und Pfeffer verrühren. Aus dem Reis im Öl kleine Küchlein backen. Mit Dill und Zitrone garnieren.

Kabeljaukotelett süß-sauer

4 getrocknete Aprikosen
2 Stangen Lauch
250 g Langkornreis
Salz, Pfeffer
1 rote Paprikaschote
1 Zwiebel
2 El Butter
4 Kabeljaukoteletts
½ Zitrone
3-4 El Öl
2 El Sojasoße
1 El Essig

Aprikosen in kaltem Wasser einweichen, in Streifen schneiden. Lauch putzen, in feine Ringe teilen. Reis garen, abgießen, abtropfen lassen. Paprika putzen, in feine Streifen schneiden. Zwiebel hacken, in 1 El Butter andünsten. Lauch, Paprika und Aprikosen hinzufügen, kurz mitdünsten. Mit Salz und Pfeffer würzen, mit ein paar Eßlöffeln

Wasser gar dünsten. Fisch säubern, mit Zitronensaft beträufeln, mit Salz und Pfeffer würzen. Im heißen Öl von beiden Seiten braten, aus der Pfanne nehmen, warm halten. Reis mit übriger Butter erwärmen. Das Gemüse mit Sojasoße und Essig abschmecken. Kabeljaukoteletts mit der süß-sauren Gemüsemischung und Reis anrichten.

205

Fischpfanne mit Brokkoli

600 g Seeaal (filetiert)
Saft einer Zitrone
1 Msp. gemahlener Anis
2 El Mehl
400 g TK-Brokkoli
1 Zwiebel
1 kleine, gelbe Paprikaschote
1-2 rote Chilischoten
250 g Langkornreis
Salz, Pfeffer
4 El Olivenöl
2 El Sojasoße
½ Bund Petersilie
1 El Butter

Fisch waschen, trockentupfen. Fische in Stücke schneiden, mit etwas Anis würzen, mit Mehl bestäuben. Brokkoli auftauen, in Röschen teilen, Stiele abschneiden, würfeln. Zwiebel fein würfeln. Paprikaschote halbieren, in Würfel von 1,5 cm schneiden. Chilischote aufritzen, entkernen, in dünne Ringe schneiden. Reis garen. Fisch im Olivenöl anbraten, salzen, pfeffern und aus der Pfanne nehmen. Zwiebelwür-fel, Paprika und Brokkoli im Bratfett kurz dünsten, ca. 100 ml Wasser angießen. Mit etwas Zitronensaft, Salz, Pfeffer, Chili, Sojasoße, Anis und gehackter Petersilie würzen. Fisch zum Gemüse geben, kurz ziehen lassen. Reis mit etwas Butter vermischen und zu der Fischpfanne servieren.

Bunte Fischspieße auf Reis

▷

450 g (TK-)Fischstäbchen
je 1 rote und 1 grüne Paprika
1 kleine Dose Pfirsiche
2 El Öl
250 g Reis (im Kochbeutel)
3 El Kokosflocken

Fischstäbchen halbieren. Paprika putzen, in grobe Stücke schneiden. Pfirsiche abtropfen lassen, ebenfalls in Stücke schneiden. Die Hälfte der Paprika- und Pfirsichstücke abwechselnd mit Fischstäbchen auf Holzspieße stecken. Fisch-spieße im Öl ca. 8 Minuten von beiden Seiten braten, warm stellen. Reis garen. Kokosflocken ohne Fett rösten, mit gegartem Reis, restlichen Paprika- und Pfirsichstücken vermengen. Den Reis mit Fischspießen anrichten.

Gefüllte Chinakohlrouladen

8 große Chinakohlblätter
7 El Sojasoße
1 Zwiebel
100 g Möhren
100 g Champignons
100 g Sojabohnenkeimlinge
200 g Tiefseegarnelen
2 El Öl, 1 Zitrone
100 g Vollkornreis
2 Tl Sonnenblumenkerne
evtl. 1 Eigelb zum Binden

Reis garen. Chinakohlblätter waschen und putzen, 2 Liter Wasser erhitzen, 4 El Sojasoße hinzufügen und die Blätter für wenige Minuten darin garen, herausnehmen, kalt abbrausen und abtropfen lassen. Zwiebel halbieren, längs in feine Streifen schneiden. Möhren waschen, putzen, blättrig schneiden. Sojabohnenkeimlinge im Sieb gut abbrausen, abtropfen lassen. Tiefseegarnelen auftauen, mit etwas Zitronensaft übergießen. Die Zwiebel in das erhitzte Öl geben, goldbraun dünsten. Danach die Möhren hinzufügen, mit 1 El Sojasoße aufgießen, dabei ständig weiterrühren. Zum Schluß die Champignons, die Keimlinge und die Tiefseegarnelen ohne Zitrone hineingeben und mit restlicher Sojasoße aufgießen. Alles solange unter Rühren verköcheln lassen, bis der Gemüsesaft etwas eingekocht ist. Den Reis und die Sonnenblumenkerne daruntermischen, alles etwas abkühlen lassen. 1-2 El Füllung auf die Chinakohlblätter geben, zusammenrollen und mit Holzstäbchen befestigen. In einem großen Topf Öl erhitzen, die Rouladen von allen Seiten kräftig anbraten, mit etwas Wasser aufgießen, zugedeckt ca. 20 Minuten schmoren lassen. Evtl. mit weiterem Wasser aufgießen. Nach dem Schmoren herausnehmen, den Bratenfond mit Eigelb binden. Dazu Stangenweißbrot servieren.

Reis süß - vielerlei Desserts

Equilinia-Klößchen mit Pflaumen-Kompott ▷

100 g getrocknete Pflaumen
(ohne Stein), 2 Eier
¼ l Rotwein, 2 El Mohn
2 El Vanillezucker
4 El Preiselbeerkompott
(a.d. Glas)
2 El Speisestärke
2 Vanilleschoten
200 g 7-Corn-Equilinia-
Mischung (Reisspezialität)
2 El Zucker
600 ml Milch

Pflaumen vierteln, mit Rotwein, 200 ml Wasser und
Vanillezucker ca. 30 Minuten
köcheln lassen. Preiselbeerkompott dazugeben, in Wasser angerührte Speisestärke
angießen und alles kurz aufkochen. Für die Klößchen
Vanilleschoten aufschlitzen,
Vanillemark auskratzen und
mit 7-Corn-Equilinia-
Mischung, Zucker und Milch

30 Minuten kochen. Die Masse
etwas abkühlen lassen, Eier
unterrühren und mit zwei
Eßlöffeln Klößchen abstechen.
Mohn ohne Fett rösten. Equi-
linia-Klößchen mit dem Pflau-
men-Kompott auf Tellern
anrichten, mit Mohn bestreut
servieren.

Bananen-Reis-Dessert mit exotischen Früchten (Abb. S. 209)

Für den Reis:
600 ml Milch
200 g Kokosraspel
200 g Rundkornreis
1 El Zucker
2 Bananen
1 Ei (getrennt)

Für die Früchte:
¼ l Orangensaft
2 Bananen
1 Papaya
250 g Litschis
½ Honigmelone
Rum zum Abschmecken

Milch mit den Kokosraspeln
zum Kochen bringen, vom
Herd nehmen, eine halbe
Stunde ziehen lassen, dann
durch ein Sieb gießen. Die
Milch mit dem Reis und
Zucker wieder zum Kochen
bringen, bei schwacher Hitze
20 Minuten ausquellen lassen.
Bananen längs halbieren, in
dünne Scheiben schneiden.
Zusammen mit dem Eigelb
unter den Reis mischen.
Eiweiß steif schlagen, vorsichtig unterheben. Den Reis in

kalt ausgespülte Förmchen füllen, kalt stellen. Für die Früchte den Orangensaft erhitzen.
Bananen in Scheiben schneiden, Papaya schälen, halbieren, Fruchtfleisch in Würfel
schneiden. Litschis schälen,
Melone zu kleinen Kugeln
ausstechen. Alle Früchte in
den heißen Orangensaft geben, erkalten lassen und zum
Schluß mit Rum abschmecken.
Reis aus den Förmchen stürzen und mit den Früchten servieren.

Süßer Reis mit frischen Früchten

250 g Langkornreis (im Kochbeutel), 1 Ei
250 ml Sahne
70 g Zucker
2 Pck. Vanillezucker
4 El gehackte Trockenfrüchte
150 g frische Früchte

Reis garen. Ei trennen, Eiweiß und Sahne getrennt steif schlagen. Zucker, Vanillezucker und Eigelb so lange rühren, bis eine schaumige Masse entsteht. Reis in einer Schüssel mit der Eigelbmasse vermischen. Gehackte Trockenfrüchte unterrühren, zum Schluß Eischnee und Sahne unterheben. Frische Früchte putzen, klein schneiden, den Reis damit nach Belieben garnieren.

Reistörtchen mit Himbeeren und Mandelkrokant

6 Portionen

1 Vanilleschote
125 g Rundkornreis
½ l Milch
2 Blatt weiße Gelatine
3 Eigelb
3 El Zucker
Butter und Zucker
für die Formen
500 g Himbeeren
100 g Puderzucker
2 cl Himbeergeist
50 g Mandelblättchen
Puderzucker zum Bestäuben

Vanilleschote längs halbieren. Reis in der Milch mit der halbierten Vanilleschote aufkochen lassen, 30 Minuten ausquellen lassen. Gelatine im kalten Wasser einweichen. Eigelb und Zucker mit dem Handrührgerät 10 Minuten schaumig aufschlagen. Gelatine tropfnaß bei milder Hitze auflösen und dazugeben. Alles unter den heißen Reis geben, abkühlen lassen. 6 Formen oder Tassen mit Butter ausstreichen, mit Zucker ausstreuen. Kalte Reismasse hineinfüllen. 2 Stunden kalt stellen. 250 g Himbeeren und 25 g Puderzucker pürieren, durch ein Sieb streichen. Himbeergeist zugeben, kalt stellen. Für den Krokant ein Backblech und das Rollholz mit Öl bestreichen. Restlichen Puderzucker in einer Pfanne schmelzen, goldbraun werden lassen, dabei ständig umrühren. Mandelblättchen unterrühren und sofort auf das Backblech geben. Etwas abkühlen lassen, mit dem Rollholz ausstreichen. Kalt werden lassen, dann in Stücke brechen. 125 g Himbeeren mit Puderzucker bestäuben. Reis auf Teller stürzen, mit Himbeermark umgießen und mit Himbeeren garnieren. Krokant nach Belieben dazulegen.

Kalifornischer Reiskuchen

½ l Milch
1 Prise Salz
1 Vanilleschote
150 g Langkornreis
100 g Zucker
8 Blatt Gelatine
140 g Ananasstücke
(a.d. Dose)
250 ml Sahne
3 El gehackte Pistazien
8 Cocktail-Kirschen
(a.d. Glas)

Milch mit Salz und aufgeritzter Vanilleschote zum Kochen bringen. Langkornreis einstreuen, 25 Minuten köcheln lassen. Vanilleschote entfernen. Zucker einrühren. Gelatine in kaltem Wasser einweichen, ausdrücken, bei milder Hitze auflösen und unter den Reis rühren. Reis abkühlen lassen. Ananasstücke in ein Sieb geben, abtropfen lassen.

Sahne steif schlagen, drei Eßlöffel davon zum Garnieren zurückbehalten, den Rest mit den Ananasstücken und Pistazien unter den Reis heben. Reis in eine Puddingfom füllen, im Kühlschrank eine Stunde erstarren lassen. Auf einen Teller stürzen, mit der restlichen Sahne, Cocktail-Kirschen und gehackten Pistazien garnieren.

Reispudding mit Blaubeeren

1 l Milch
200 g Rundkornreis
1 Prise Salz
abgeriebene Schale einer
unbehandelten Zitrone
1 Pck. Vanillezucker
Fett
Semmelbrösel oder Kokos-
flocken für die Form
3 Eier
50 g Butter
40 g Zucker
200 g (TK-)Blaubeeren

Milch mit Reis, Salz, Zitronenschale und Vanillezucker kalt aufsetzen, zum Kochen bringen, 20 Minuten quellen lassen, der Reis sollte nicht ganz ausgequollen sein. Dann leicht abkühlen lassen. Eine Puddingform (1,5 l) samt Deckel sehr gut ausfetten, mit Semmelbrösel oder Kokosflocken ausstreuen. In einen Topf so viel Wasser geben, daß es etwa 2-3 cm unter dem Rand der Puddingform steht. Eier trennen. Butter mit der Hälfte des Zuckers schaumig schlagen. Eigelb unterrühren, alles

unter den Reisbrei ziehen. Eiweiß mit restlichem Zucker zu einem schnittfesten Schnee schlagen. Eischnee und Blaubeeren behutsam unter den Reis heben. Masse in die Puddingform füllen und die gut verschlossene Form im Wasserbad ca. 75 Minuten köcheln lassen. Nach der Garzeit den Deckel abnehmen, Pudding etwas ausdampfen lassen. Ränder vorsichtig lockern, den Pudding auf eine Servierplatte stürzen. Nach Belieben mit Blaubeeren und Melisseblättchen dekorieren.

Milchreis mit Erdbeerpüree

1 l Milch
abgeriebene Schale einer
unbehandelten Zitrone
1 Stange Zimt
200 g Rundkornreis
2 El Ahornsirup
4 El Sahne
500 g (TK-)Erdbeeren

Milch mit der Zitronenschale und der Zimtstange zum Kochen bringen, Reis hinzugeben, ca. 40 Minuten bei geringer Hitzezufuhr garen. Dann noch weitere 10 Minuten quellen lassen. Ahornsirup einrühren. Inzwischen die Erdbeeren waschen und pürieren. Reis in tiefe Teller geben, Sahne zugeben und das Erdbeerpüree dazureichen.

Erdbeer-Risotto

1 l Milch
100 g Zucker
1 unbehandelte Zitrone
4 cl Himbeergeist
400 g Rundkornreis
2-3 cl Orangenlikör
1 Vanilleschote
500 g (TK-)Erdbeeren

Milch mit 60 g Zucker, einem Stück Zitronenschale und Himbeergeist aufkochen. Reis hinzufügen, unter Rühren 5-8 Minuten köcheln. Dann den Deckel auflegen, Reis 1 Stunde ausquellen lassen. Kurz vor dem Servieren den Saft der Zitrone, Likör und den übrigen Zucker gut verquirlen. Vanilleschote längs aufschlitzen, Mark herauskratzen, in die Soße geben. Erdbeeren, waschen, halbieren, in die Marinade geben und 5-10 Minuten darin ziehen lassen. Den Milchreis auf einer Platte anrichten, marinierte Erdbeeren darübergießen und sofort servieren.

Kokos-Reisbällchen mit Grapefruit

4 - 6 Portionen

200 g Rundkorn-Naturreis
½ Vanillestange
500 ml Milch
2 große, rosa Grapefruits
½ El Ahornsirup
5 El Kokosflocken

Reis waschen, abtropfen lassen. Vanillestange aufschlitzen, Mark herauskratzen. Milch mit Reis und Vanillemark aufkochen. 50 Minuten ausquellen lassen. Eine Grapefruit filetieren, dabei den Saft auffangen. Zweite Grapefruit auspressen. Den Saft mit dem Sirup verrühren, in einen breiten Topf geben, 8 Minuten einköcheln lassen. Ausgequollenen Reis mit den Kokosflocken vermischen. 18 kleine Bällchen formen. Je 3 Bällchen in ein Schälchen geben, mit den Grapefruitfilets anrichten. Soße dazugießen.

Vanille-Milchreis mit Nüssen

▷

200 g Rundkorn-Naturreis
¾ l Flüssigkeit (Wasser und
Milch gemischt)
1 Prise Salz
abgeriebene Schale einer
unbehandelten Zitrone
1 Prise Naturvanille oder
1 Pck. Vanillezucker
30 g Butter (oder ½ Tasse
Sahne)

3-4 El Ahornsirup
oder Honig
1-2 El Zimt
2 El gehackte Haselnüsse
1 roter Apfel

Apfel teilen, Kerngehäuse entfernen und in feine Schnitze
schneiden. Reis waschen, in
der Wasser-Milch-Mischung

mit Salz und Zitronenschale
aufkochen, 40 Minuten bei
geringer Wärmezufuhr aus-
quellen lassen. Vanille und
Butter zugeben. In Schälchen
füllen, mit Ahornsirup oder
Honig beträufeln, mit Zimt,
gehackten Haselnüssen und
mit Apfelstückchen garniert
servieren.

Apfel-Milchreis mit Himbeersoße

1 l Milch, 4 Äpfel
1 Prise Salz
1 Tl abgeriebene Schale einer
unbehandelten Zitrone
250 g Rundkornreis
2 El Zitronensaft
1 Pck. Vanillezucker
4 El Mandelblättchen
500 g (TK-)Himbeeren
2 El Zucker

Milch mit Salz und Zitronenschale zum Kochen bringen.
Reis einstreuen, einmal aufkochen, 35-40 Minuten ausquellen lassen. Äpfel schälen, vierteln, das Kernhaus entfernen,
würfeln und mit Zitronensaft
beträufeln. Die letzten 5 Minuten unter den Milchreis geben.
Mit Vanillezucker abschmek-

ken. Mandelblättchen ohne
Fett goldbraun rösten, herausnehmen. Die Hälfte der Himbeeren erwärmen, durch ein
Sieb passieren. Übrige ganze
Beeren unterheben. Die Soße
mit Zucker abschmecken. Den
heißen Milchreis mit der Bee-
rensoße anrichten, mit Mandelblättchen bestreuen.

Zitronen-Reisbällchen mit Himbeerpüree

125 g Rundkornreis
50 g Butter
½ l Wasser
1 Prise Salz
¼ l Zitronensaft
200 g Zucker
1 Prise Muskat
60 g sehr fein geriebenes
Zitronat
1 reife Mango

Zitronensaft
250 g Himbeeren
50 g Zucker

Butter schmelzen, Reis darin
glasig dünsten. Wasser und
Salz zugeben, aufkochen, ausquellen lassen. Zitronensaft
und Zucker dazugeben, zu
einer festen Masse ausquellen

lassen. Mit Muskat abschmekken, kalt stellen. Zu kleinen
Bällchen formen, in Zitronat
wälzen. Mango in Scheiben
schneiden. Mit Zitronensaft
beträufeln. Himbeeren pürieren, durch ein Sieb streichen,
mit Zucker gut verrühren. Zu
den Reisbällchen und Mango-
scheiben servieren.

219

Reisdessert mit Sanddorn

▷

400 ml Milch
1 Prise Salz
120 g Rundkornreis
3 El Ahornsirup
2 El Mandelsplitter
100 g Crème fraîche
Saft und etwas abgeriebene
Schale einer unbehandelten
Orange
6-8 El Sanddorn-Vollfrucht
2 Kumquats

Milch mit Salz zum Kochen bringen, Reis zugeben, 45 Minuten ausquellen lassen. Ahornsirup, Mandelsplitter, Crème fraîche und die Orangenschale zugeben. Alles miteinander verrühren, in Förmchen füllen und kalt stellen. Orangensaft mit Sanddorn verrühren und auf vier Dessertteller verteilen. Den gestürzten Reis darauf anrichten. Kumquats gut waschen, in Scheiben schneiden, das Reis-Dessert damit garnieren.

Mohn-Reis-Auflauf

600 ml Milch
1 kleine Zimtstange
ein Stück unbehandelte
Zitronenschale
200g Rundkornreis
1 große Dose Pfirsiche
125 g gemahlener Mohn
50 g Mandelblättchen
50 g Butter
3 Eier (getrennt)
1 El Puderzucker

Milch mit Zimtstange und Zitronenschale zum Kochen bringen, Reis einstreuen, 40 Minuten ausquellen lassen. Inzwischen Pfirsiche abtropfen lassen, dabei den Saft auffangen und in feine Spalten schneiden. Mohn im Pfirsichsaft aufkochen, Mandelbättchen unterrühren (einen Eßlöffel voll zum Bestreuen zurücklegen). Vom Herd nehmen, ausquellen lassen. Butter mit dem Eigelb schaumig rühren. Mit dem Milchreis vermengen, Zimtstange und Zitronenschale entfernen. Eischnee schlagen, unterheben. Die Hälfte des Milchreis in eine große gefettete Auflaufform einfüllen, mit dem Mohn bedecken. Pfirsiche darauflegen, mit dem übrigen Reis abdecken. Mandelblättchen aufstreuen, ca. 45 Minuten backen. Nach Belieben mit Puderzucker bestäubt servieren.

Gefüllte Äpfel

▷

60 g Rundkornreis
¼ l Milch
1 Prise Salz
25 g Korinthen
2 Tl Honig
4 rote Äpfel
1 El Zitronensaft
150 ml Sahne
2 El gehackte Pistazien

Reis mit Milch und Salz in einen Topf geben, abgedeckt bei geringer Hitze 25 Minuten ausquellen lassen. Korinthen waschen, unter den Milchreis ziehen. Mit Honig abschmekken, abkühlen lassen. Äpfel waschen, halbieren, das Kerngehäuse großzügig entfernen.

Apfelhälten mit Zitronensaft beträufeln. Milchreis mit geschlagener Sahne mischen, in die Apfelhälften verteilen. Pistazien darüberstreuen.

Reispudding mit Pfirsichschnitzen

½ l Milch
Salz
abgeriebene Schale einer halben unbehandelten Zitrone
1 Vanilleschote
150 g Rundkornreis
50 g gehackte Mandeln
30 g Butter
2 Eier (getrennt)
40 g Zucker
1 große Dose Pfirsiche

Milch mit Salz, Zitronenschale und aufgeritzter Vanilleschote zum Kochen bringen. Reis einstreuen, 45 Minuten ausquellen lassen. Puddingform gut einfetten, kalt stellen, nochmals mit flüssigem Fett nachfetten. Mandeln ohne Fett hellbraun rösten. Butter mit Eigelb und Zucker schaumig rühren. Den leicht abgekühlten Milchreis einarbeiten, dabei die Vanilleschote entfernen. Eiweiß steif schlagen, mit den Mandeln unterheben. Pfirsiche abtropfen lassen, in

Schnitze schneiden. Ein Drittel noch kleiner schneiden. Reismasse abwechselnd mit den Pfirsichschnitzen in die Puddingform füllen. Deckel aufsetzen, die Form in einen großen Topf ins Wasserbad stellen. Zugedeckt 1 Stunde kochen. Form aus dem Wasserbad heben, Form öffnen, einige Minuten abdampfen lassen, dann den Rand mit einem Messer vorsichtig lockern und den Pudding auf eine Platte stürzen. Mit dem übrigen Kompott servieren.

Reissalat mit Ananas

150 g Naturreis
1 kleiner Apfel
2 Scheiben Ananas
50 g Rosinen (eingeweicht)
50 g Mandelstifte
1-2 Becher Sauerrahm
2 El Mangochutney
1 El Currypulver
einige Scheiben frischer
Ingwer

Saft einer Zitrone
Pfeffer, Salz

Reis in sprudelndem Salzwasser 30 Minuten kochen, abtropfen und abkühlen lassen. Apfel schälen, würfeln, ebenso die Ananasscheiben, zusammen mit den abgetropften Rosinen und Mandelstiften zum Reis geben. Sauerrahm mit den übrigen Zutaten verrühren und alles gründlich vermengen. Gut durchziehen lassen. Der Salat sollte sehr intensiv „süß-pikant" abgeschmeckt sein.

Reisauflauf mit Mandelkruste

150 g Rundkornreis
¾ l Milch
Salz
abgeriebene Schale einer halben unbehandelten Zitrone
100 g Marzipan
1 Glas Schattenmorellen
3 Eier
100 g Zucker
50 g Mandelblättchen
100 ml Sahne
2 El Puderzucker
1 El Speisestärke

Reis in die fast kochende Milch einstreuen, mit 1 Prise Salz und Zitronenschale zugedeckt ca. 50 Minuten quellen lassen. Marzipan klein würfeln, Schattenmorellen abgießen, gut abtropfen lassen. Eigelb mit der Hälfte des Zuckers schaumig rühren, mit Marzipan unter den etwas abgekühlten Reis heben. Eischnee mit dem Rest des Zuckers schlagen, unterheben und zuletzt die Kirschen unterziehen. In eine gefettete, mit Bröseln ausgestreute Auflaufform füllen, 40 Minuten backen. Mandelblättchen mit Sahne und Puderzucker aufkochen. Auf den Auflauf gießen, 10-15 Minuten weiterbacken, bis sich eine braune Kruste gebildet hat. Kirschsaft aufkochen, mit angerührter Stärke binden, mit Zitronensaft und evtl. noch etwas Zucker abschmecken, noch heiß servieren.

Milchreis auf Avocados

▷

125 g Rundkornreis
¾ l Milch
4 kleine Avocados
2 El Zitronensaft
2 Zweige Zitronenmelisse
100 g Zucker
1 Prise Salz
2 El gehackte Pistazien
4 El Honig

Milch aufkochen, Reis einstreuen, 30 Minuten köcheln lassen. Avocados halbieren, schälen, quer in Scheiben schneiden, mit Zitronensaft beträufeln und auf Teller verteilen. Zitronenmelisseblättchen in Streifen schneiden. Kurz vor Ende der Garzeit

Zucker und Salz unter den Reis rühren. Abgekühlten Reis auf den Avocadoscheiben anrichten. Pistazien und Zitronenmelisse darüber streuen. Mit Honig beträufelt servieren.

Reis-Blinis mit Äpfeln und Eis

125 g Reis (im Kochbeutel)
2 Eier
1 El Zucker
2 Pck. Vanillezucker
1 Prise Salz
⅛ l Milch
1 unbehandelte Zitrone
75 g Mehl
50 g gehackte Mandeln
3 El Butterschmalz
2 Äpfel
1 El Butter
250 ml Schoko-Eis

Minzeblättchen zum
Verzieren
Puderzucker

Reis garen. Inzwischen beide Eigelb mit Zucker, Vanillezucker, Salz, Milch, etwas abgeriebener Zitronenschale und Mehl verrühren, dann etwas quellen lassen. Reis und die Mandeln unter die Eiermilch rühren, Eiweiß zu steifem Schnee schlagen, unter

den Reisteig heben. Aus dem Teig im heißen Fett 12 kleine, goldgelbe Blinis backen. Warm stellen. Äpfel schälen, in Spalten schneiden. Mit etwas Zitronensaft beträufeln und in Butter rundherum gut andünsten. Reis-Blinis, Äpfel und je eine Kugel Eis auf Teller verteilen. Mit Minzeblättchen verzieren und mit Puderzucker überstäuben. Sofort servieren.

Exotischer Wildreissalat

▷

100 g Wildreis
6 El Ahornsirup
2 El Zitronensaft
4 El Orangensaft
2 El Orangenlikör
1 Mango, 1 Kiwi
1 Karambole
200 g Erdbeeren
5 Kumquats
4 El Crème double

Reis ohne Salz garen. Aus Ahornsirup, Zitronen- und Orangensaft sowie Orangenlikör eine Marinade rühren. Abgekühlten Wildreis damit mischen. Mango und Kiwi schälen, Mango in Spalten, Kiwi in geviertelte Scheiben schneiden. Karambole ebenfalls in feine Scheiben schneiden. Erdbeeren waschen, putzen, vierteln. Gewaschene Kumquats in dünne Rädchen schneiden. Früchte vorsichtig unter den marinierten Reis mischen. Salat vor dem Servieren 20-30 Minuten ziehen lassen. Auf Teller verteilen, mit jeweils einem Eßlöffel Crème double servieren.

Rhabarber-Reis-Auflauf

750 g Rhabarber
abgeriebene Schale einer
unbehandelten Zitrone
½ l Milch
1 Prise Salz
2 Pck. Vanillezucker
20 g Butter
120 g Rundkorn-Naturreis
4 Eier
100 g Honig
100 g Mandelstifte

Rhabarber putzen, waschen, Fäden abziehen, in Stücke schneiden. In einen Topf geben, Zitronenschale zugeben und im eigenen Saft halbgar dünsten. Abtropfen lassen. Milch mit Salz und Vanillezucker und Butter zum Kochen bringen. Reis zugeben, 35 Minuten ausquellen lassen. Abkühlen lassen. Eier trennen. Eigelb mit dem Honig schaumig rühren. Rhabarber mit dem Milchreis und der Honig-Ei-Masse vermengen. Die Mandelstifte zugeben. Eiweiß steif schlagen und unter die Masse ziehen. In eine gefettete Auflaufform füllen, glattstreichen, im Ofen bei 200 Grad ca. 45 Minuten backen.

Amaretto-Reis-Dessert mit Früchten

▷

250 g Basmati-Reis
¾ l Milch
1 Vanilleschote
75 g Zucker
abgeriebene Schale einer halben unbehandelten Zitrone
4 cl Amaretto
200 g Sahne
500 g Erdbeeren
1 Pck. Vanillezucker
100 g Stachelbeeren

Zitronenmelisse
1 El Puderzucker
1 El Zimt

Milch mit aufgeritzter Vanilleschote aufkochen. Basmati-Reis einstreuen, 20 Minuten ausquellen lassen. Reis mit Zucker, Zitronenschale und Amaretto abschmecken, abkühlen lassen. Sahne steif schlagen, unter den Reis geben. Erdbeeren putzen, waschen. Die Hälfte der Erdbeeren pürieren, mit Vanillezucker verrühren. Stachelbeeren putzen, waschen. Reis mit den Früchten auf Tellern anrichten. Soße darübergeben und mit Melisse garnieren. Mit Puderzucker und Zimt bestäuben.

Clementinen-Reis-Türmchen

100g Rundkornreis
400 ml Milch
½ Vanilleschote
5 Clementinen
150 g Magerquark
2 El Zucker
2 Blatt weiße Gelatine
eine halbe unbehandelte Zitrone
200 g (TK-)Himbeeren
2 Tl Puderzucker

Reis mit Milch und ausgekratztem Mark der Vanilleschote aufkochen, 25 Minuten ausquellen lassen. Clementinen filetieren, dabei den Saft auffangen. Reis, Quark, Zucker und Clementinensaft verrühren. Gelatine einweichen, auflösen, unter den Reis rühren. Vier breite Tassen mit Klarsichtfolie auslegen. Reis und Filets abwechselnd einschichten. Oberfläche glätten, Tassen in den Kühlschrank stellen. Von der Zitrone einen Teelöffel Schale fein abreiben, Saft auspressen. Himbeeren antauen lassen, pürieren, durch ein Sieb streichen. Mit Zitronensaft, -schale und Puderzucker verrühren. Reistürmchen auf Teller stürzen, mit der Himbeersoße anrichten und servieren.

231

Möhrenrisotto mit Orangen ▷

1 Zwiebel
400 g Möhren
5 El Traubenkernöl
200 g Rundkorn-(Natur-)Reis
Salz
Pfeffer
¼ l Möhrensaft
½ l (Instant-)Gemüsebrühe
1 unbehandelte Orange
1 El gehackte Petersilie
2 El geröstete Mandelblättchen

Zwiebel würfeln. Möhren schälen, in ca. 1 cm große Würfel schneiden. Beides im Öl anbraten. Reis darüberstreuen und kurz mit anrösten. Mit Salz und Pfeffer würzen und unter Rühren den Möhrensaft dazugießen. Ca. 20 Minuten sprudelnd kochen lassen, dabei immer wieder etwas von der heißen Gemüsebrühe hinzufügen. Die Hälfte der Orangenschale abraspeln, dann die Frucht so dick schälen, daß die weiße Haut völlig entfernt ist. Orangenfilets mit einem scharfen Messer herauslösen und mit der abgeriebenen Schale und Petersilie unter das Risotto mischen. Mit gerösteten Mandeln bestreuen und sofort servieren.

Sauerkirsch-Reis-Auflauf

1 Vanilleschote
1 l Milch
3 El Zucker
250 g Rundkornreis
40 g Mandelsplitter
1 Glas Schattenmorellen
125 ml Sahne
100 g Marzipan-Rohmasse

Vanilleschote aufschlitzen, Mark herauskratzen. Milch aufkochen, Vanilleschote und 2 El Zucker hineingeben, dann den Reis einstreuen. 40 Minuten ausquellen lassen. Mandelsplitter ohne Fett goldgelb rösten. Kirschen abtropfen lassen. Die Hälfte des Reis in eine gefettete Auflaufform umfüllen. Die Hälfte der Kirschen und Mandeln darauf verteilen. Mit dem übrigen Reis bedecken, restliche Kirschen und Mandeln darübergeben. Sahne mit Vanillemark und restlichem Zucker steif schlagen. Marzipan weichkneten, damit vermengen. Über die Kirschen verteilen. Im Ofen bei 200 Grad ca. 25 Minuten überbacken.

Apfel-Reis-Kuchen

Für den Mürbeteig:

200 g Mehl
60 g Zucker
1 Ei
1 El Weißwein
120 g Butter oder
Margarine
Fett und Semmelbrösel
für die Form
Mehl zum Ausrollen

Für den Belag:

100 g Milch- oder Rund-
kornreis
¾ l Milch
75 g Zucker
½ Vanilleschote
250 g Speisequark
4 Eigelb
2 Tl Schale einer unbe-
handelten Zitrone
2 El Rosinen
2 El Mandelstifte
500 g Äpfel
4 El Zitronensaft
½ Tl Zimtpulver
3 Eiweiß
3 El Aprikosenkonfitüre

Für den Teig Mehl, Zucker, Ei, Wein und das Fett in kleinen Stückchen schnell zu einem glatten Teig verkneten. In Folie verpacken und 30 Minuten kalt stellen. Für den Belag Reis, Milch, Zucker und die längs aufgeschlitzte Vanilleschote aufkochen. Hitze auf kleinste Stufe reduzieren und den Reis zugedeckt etwa 30 Minuten quellen lassen. Vanilleschote entfernen. Inzwischen Backofen auf 175-200 Grad vorheizen. Eine Springform einfetten und mit den Semmelbröseln ausstreuen. Mürbeteig auf bemehlter Arbeitsfläche dünn ausrollen. Boden und Wand der Backform damit auskleiden. Den Boden mit einer Gabel mehrfach einstechen. Teig im vorgeheizten Backofen 15 Minuten vorbacken. Abkühlen lassen. Inzwischen für die Füllung Quark, 3 Eigelb, Reis, Zitronenschale, Rosinen und

Mandeln gut miteinander vermischen. Äpfel schälen, vierteln und entkernen. Zwei Äpfel in dünne Spalten schneiden und mit 2 El Zitronensaft beträufeln. Die restlichen Äpfel würfeln, mit 2 El Zitronensaft und dem Zimtpulver vermischen. Apfelwürfel unter die Reismasse heben. Eiweiß zu steifem Schnee schlagen und unter die Reismasse ziehen. Masse auf dem Teig verteilen und glattstreichen. Apfelspalten schuppenförmig auf der Oberfläche anordnen. Das übrige Eigelb verquirlen und die Äpfel damit bepinseln. Kuchen etwa 40 Minuten backen. Falls die Äpfel zu dunkel werden, mit Alufolie abdecken. Konfitüre mit 1 El Wasser glattrühren, erwärmen und durch ein Sieb streichen. Den Kuchen zehn Minuten vor Ende der Backzeit damit bestreichen und fertigbacken. Auskühlen lassen.

Rezeptregister

Bildnachweis

Für die freundliche Überlassung der Dias danken wir im einzelnen den folgenden Firmen (in alphabetischer Reihenfolge):

Fischwirtschaftliches Marketing-Institut (FIMA), Bremerhaven, für die Seiten: 173, 175, 177, 179, 181, 183.

KETCHUM PUBLIC RELATIONS WORLD-WIDE, München, und dort im einzelnen:
Bresso für die Seite: 41
Informationsgemeinschaft Bananen für die Seiten: 163, 165, 209

KRAFT Ideencenter, Bremen, für die Seiten: 19, 21, 33, 35, 37, 43, 153, 155, 159, 167, 169, 171.

ORYZA-Reis, M/S/C Lebensmittel GmbH, Hamburg, für die Seiten: 7, 8, 9, 10, 11, 12, 31, 61, 91, 93, 95, 201, 203, 205, 227, 229, 231.

Reformhaus-Kochstudio, Mainz, für die Seiten: 15, 17, 27, 29, 45, 47, 49, 51, 53, 55, 57, 59, 81, 199, 217, 219, 221, 223, 225, 233.

Segmenta PR, Hamburg, (du darfst), für die Seiten: 157, 161.

The Food Professionals, Sprockhövel, für die Seiten: 23, 25, 39, 65, 67, 69, 71, 73, 75, 77, 79, 83, 85, 87, 89, 97, 99, 101, 103, 105, 107, 109, 111, 113, 115, 117, 119, 121, 123, 125, 127, 129, 131, 133, 135, 137, 139, 141, 143, 145, 147, 149, 151, 185, 187, 189, 191, 193, 195, 197, 207, 211, 213, 215.

Hintere Umschlagseite:
links oben und rechts unten: ORYZA-REIS, M/S/C Lebensmittel GmbH, Hamburg
rechts oben: Reformhaus-Kochstudio, Mainz
links unten: The Food Professionals, Sprockhövel